U0102293

齊白石全集

第七卷：繪畫

齊白石

凡例

一　《齊白石全集》分雕刻、繪畫、篆刻、書法、詩文五部分，共十卷。

二　本卷為晚期繪畫。收入一九四九年至一九五七年繪畫作品二八八件，作品按年代順序排列。

三　本卷内容分為三部分：一概述，二圖版，三著録、注釋。

目録

目録

繪畫(一九四九年——九五七年)

著録・注釋

CONTENTS

CONTENTS

BIBLIOGRAPHY, AND ANNOTATIONS

齊白石晚年的繪畫

一九四九年——一九五七年

齊白石晚年的繪畫

李　松

年高身健不肯作神仙

一九四九年，齊白石經歷了又一次社會大變革，並迎來了生活和創作道路上最後的一段輝煌。能够活到九十高齡，而且依然精力旺盛地從事書畫創作，是齊白石自己也不曾預料到的。早在一九二六年，當他六十四歲時，在致胡佩衡的信中曾説過："白石倘九十歲不死，目瞎指硬，不能作畫，生計死矣。"①而真的到了九十高齡，竟然還能引筆畫出纖細勁利的長長蝦鬚，令他自己也覺驚奇，無限欣慰地對友人説："我這麽老了，還能畫這樣的綫！"②

已卜餘年見太平

已卜餘年見太平

齊白石生於中國封建社會末年，中年經歷辛亥革命，老年遭逢八年抗日戰争，到年近九旬，趕上新中國建立，對於中國共産黨領導的新民主主義革命，齊白石起初是不理解的，北平解放前夕，有人勸他南遷，經過朋友勸慰使他解除了顧慮，安心留了下來。建國以後，他由於年事已高，没有可能多直接接觸社會現實生活，而幾次大規模的政治運動則不免波及他的親朋故舊，有時令他惶惑不安，家事的煩惱也常給他帶來精神上的干擾。但是在另一方面，由於在詩文書畫篆刻等方面的傑出成就，由於他的高齡與豐富的生活、創作經歷，又被作為當代文化藝術界具有象徵意義的重要代表人物，受到國家領導人特殊的禮遇。他還和毛澤東有同鄉之誼，建國之後時有過從。國務院總理周恩來對他的生活起居和創作條件也給予過很多關懷。齊白石晚年在生活條件、社會地位，以及海内外聲譽等方面，都達到了一生的頂點。五十年代，他曾揮毫寫下："已卜餘年見太平"、"願天下人人長壽"，正是當時開朗心態的寫照。

齊白石也像很多有了名望的藝術家那樣，愈到暮年，愈加關注自己的身後名。在早先的詩作中就曾發出："污墨誤朱皆手跡，他年人許老夫無”(《年八十，枕上句》)的疑問。建國以後，他得到了一位藝術家在當時所可能獲得的最高榮譽與地位：他始終擔任着中央美術學院的榮譽教授，一九五三年當選中國美術家協會主席，一九五七年任北京中國畫院名譽院長。中央文化部授予他人民藝術家稱號。他的藝術影響越出國界，獲得世界性的聲譽，先後被德意志民主共和國藝術科學院授予通訊院士榮譽狀，世界和平理事會授予一九五五年度國際和平獎金。齊白石被作為有卓越貢獻的畫家、書法篆刻家和詩人，也作為熱愛鄉土、熱愛美好生活、維護人類友好團結的和平老人，為人們所景仰。

晚年的齊白石盡管獲得很高的社會榮譽和地位，但他依然保持着以賣畫為生的職業畫家的心態和生活方式。每天勤奮作畫，他不憑藉地位和影響抬高畫酬，也不因作品作為文化商品出售而降低創作的藝術品位。始終堅持不媚俗、不欺世的從藝、做人原則。

齊白石在白石畫屋

畫家胡絜青在《記齊白石大師》一文中曾具體講述過她所親見的齊白石八九十歲時的生活和創作情況：

> “老人平均每天上午畫兩三張，中午吃過飯之後，在畫室的躺椅上打個盹，休息一陣，下午接着再畫，還能畫一兩張，一天可得三四張，老人從不休息，没有節假日，也不過星期天。[3]

九十歲以後，齊白石依然保持着充沛的創作精力。據統計，一九五三年他九十三歲(實九十一歲)那一年，創作的中國畫作品就有六百餘幅。一九五二年，年届九十高齡的齊白石曾以三天時間在丈二匹宣紙上繪成《百花與和平鴿》，贈給在北京召開的亞洲及太平洋區域和平會議。一九五五年又與陳半丁、何香凝等十四位畫家集體創作了巨幅《和平頌》，贈予在芬蘭赫爾辛基召開的世界和平大會。

在上舉胡絜青同一文章中曾提到齊白石書畫潤格。他歷來自訂的潤格都不高。“解放後一尺畫收四元，後來還是琉璃廠南紙鋪為他抱不平，催他增到一尺畫收六元，工筆草蟲或加用西洋紅加一倍，都是嚴格按照成本和付出的勞動來收費的。”五十年代，夏衍、艾青等都以這種收費標準或主動以加倍的代價買過他的好多幅畫。[4]一九五三年東北美術專科學校向齊白石定畫十四件，潤資為當時的人民幣五百八十萬元(一九五五年發行新人民幣以後，折合為五百八十元，平均每幅畫四十一元五角，約相當於當時低收入職工的月工資。)

百花與和平鴿

齊白石在中央美術學院

齊白石與蘇聯畫家格拉西莫夫（一九五四年）

齊白石晚年子孫繞膝，在他身邊還有衆多弟子，也有很多新朋舊雨，還經常有慕名前來造訪的青年學生和外國朋友。

位於北京東城校尉營的中央美術學院是當時美術界的活動中心，他信賴的老朋友徐悲鴻在一九五三年九月以前兼任着美院院長和全國美協主席。齊白石作為榮譽教授，每月一次由徐悲鴻陪着到教室為學生作示範。在美院U字樓上還曾拍攝過齊白石藝術活動的電影紀録片。

九十歲以後，齊白石有時還參加外界的一些重要美術活動。一九五四年九月，張仃、李可染、羅銘水墨寫生畫展在北京北海公園悦心殿舉行時，他不但為畫展題寫會標，還親往參觀，以此表示對中國畫革新探索的支持。同年十月，他又參觀了北京西郊蘇聯展覽館的造型藝術館，並會見蘇聯畫家。

在一九五五年十二月到一九五六年三月，齊白石曾一度遷住在文化部和全國美協為他購置的東城南鑼鼓巷雨兒胡同新居，在此前後，他都是在西城跨車胡同十五號那住了三十多年的"鐵屋"，建國後，齊白石將其改稱為"白石畫屋"。

齊白石晚年較多交往的文藝界人士有徐悲鴻、王森然、老舍、夏衍、艾青、葉淺予、王朝聞、蔡若虹、吴祖光、黄苗子、郁風，以及學生李可染、李苦禪、許麟廬等。他們在齊白石周圍，形成一個新的文化圈，對於齊白石晚年的創作取材、構思和作品的審美趣尚產生了一定影響。另一方面，他們對於向社會推介齊白石和他的藝術成就曾經起過很重要的作用。

作為一位有傑出成就的藝術家，齊白石善於清醒地審度時勢，把握自己，調整自己。六十歲前後的"衰年變法"鋪平了此後三十多年的創作發展道路。他重視藝術成就的積累與總結，從中年起，就在師友和門人的幫助下，着手編選、印製自己的詩集、印譜、畫集，以展示自己的藝術成就，樹立在當代藝術史上的形象，到八十歲前後，已經取得斐然可觀的成果。一九四九年，出版了胡適與黎錦熙、鄧廣銘編撰的《齊白石年譜》。在此以前，他曾請張次溪為他筆録口述生平，記到一九四八年。在齊白石逝世以後，整理成《白石老人自傳》一書出版。

建國後，第一次集中反映齊白石藝術創作成果的重要結集是黎錦熙、齊良已合編的《齊白石作品選集》（一九五六年編，人民美術出版社，一九五九年出版）。齊白石對此十分重視，親筆撰寫的序文稱：

“予少貧，爲牧童及木工，一飽無時而酷好文藝，爲之八十餘年，今將百歲矣。作畫凡數千幅、詩數千首、治印亦千餘。國内外競言齊白石畫，予不知其究何所取也。印與詩則知之者稍稀，予不知知之者之爲真知否，不知者之有可知者否？將以問之天下後世。”

他以抑止不住的激情寫道：

“予之技止此，予之願亦止此。世欲真知齊白石者其在斯，其在斯，請事斯！”

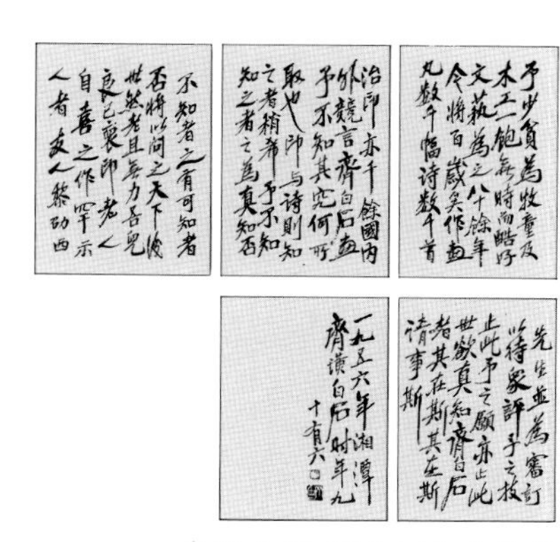

一九五六年，齊白石為自己的畫集所作的序言。

最後的高峰

齊白石的書畫創作，在他七八十歲時達到爐火純青的境界，年屆九十，依然保持着向前發展的勢頭，不時出現傑作。如此高齡而尚未走向藝術上的衰退，這在文化藝術史上雖非絶無僅有，也是較少見的。一九四九至一九五七年，齊白石留下的數千幅作品大多流傳有緒，是齊白石藝術創作的最後也是非常重要的一個階段。這個階段的轉折時期在一九五五年前後。

五十年代初，齊白石在創作中仍保持着對生活的旺盛熱情和豐富、細膩的藝術感受力，題材不斷擴展，有很多新的藝術構思。畫面題字還比較多，在較長的畫跋中可以看出思路的清晰、敏捷。後來題字漸少。到一九五五年以後，作品上逐漸顯露出精力不濟的衰象，有的畫面結構散漫，題字也時有錯落。然而，六七十年不間斷創作錘煉出的繪畫表現技巧已經成為白石老人的一種本能，即使在他生命的最後歲月，也常會不期而遇地出現一些令人驚嘆的藝術精品。

親歷過多年戰亂之後，好不容易得到和平安定的生活環境，令白石老人分外珍惜，祈願世界永久和平，人民生活幸福安康就成為他晚年書畫創作的突出主題。一如畢加索之畫和平鴿，齊白石也是以鴿子作為和平的具體象徵。一九五一年他贈給東北博物館（今遼寧省博物館）的《雙鴿圖》上大字題榜：“願世界人都如此鳥”。

願世界人都如此鳥

齊白石繼承中國畫家師法造化的優良傳統，忠實於生活，從不願畫自己没見過的花鳥樹木蟲魚。到高齡以後還不斷擴展創作題材，改進

和平鴿(九十二歲)

青蛙(一九五一年)

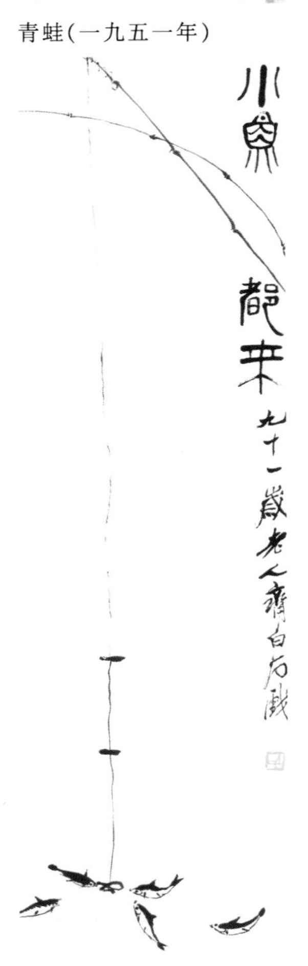

小魚都來(一九五一年)

表現技巧,如九十歲以後又改變蝦的畫法,使造型更精煉,更生動。以前他不曾畫過鴿子,為了畫和平鴿,便買了幾隻鴿子養起來,每天仔細觀察,揣摩,連鴿子尾羽是十二根都仔細地數過,但在具體作畫時,則並不拘泥於細節的真實。他在一九五一至一九五三年期間畫了不少幅鴿子,以没骨法表現鴿子飛鳴飲啄的各種動態,能得其神。最花費心力的巨構是贈給亞洲及太平洋區域和平會議的《百花與和平鴿》。他有時也用諧音寓意手法將鴿子與荷花、花瓶畫在一起,以喻和平鴿,不過這種寓意並不很重要,人們從畫面形象上感受最深的,還是鴿子活潑生動的神態。

選擇一些特定形象以諧音寓意表達某種對生活、對未來的良好祝願,是傳統繪畫習用的表現手法,也常是訂件人對於題材提出的特殊要求。齊白石有不少這類作品,如以蘋果、鵪鶉與荔枝喻“平安多利”;以蟠桃、鶴或梅花、綬帶(諧“眉壽”)祈願幸福長壽。而在藝術表現上,總是形象大於寓意内容,用西洋紅畫出的、結在老樹上的桃子,紅艷碩大,是祝願别人,也是頤享天年的老畫家自得心情的流露。

當然,齊白石作品中數量最多,最富有情趣,能召喚起人們對生活熱愛之情的還是那些具有田園詩意味的、非常普通的花草、鳥獸、蟲魚。這類畫中,往往有極富情趣的細節,畫家把自己的感情對象化了,那些成群的魚、蝦、青蛙、鷄雛彷佛和觀賞者都有着情感的呼應、交流。例如一九五一年所作的那幅《青蛙》,一隻蛙的後腿被孩子用繩繫在水草上,掙扎不脱,對面三隻蛙蹲坐着,揚起前爪,向之鼓噪,好像是為同伴的受困而焦躁却無法相救。另一幅《兩部蛙聲當鼓吹》(一九五三年作),畫面下方一群蝌蚪歡快地浮游而去,其後六隻青蛙跳躍着、鳴叫着,像是長輩為兒孫的茁壯成長而興奮不已。作品可以説是老畫家以自己的心境體察大自然生成的心像。

一九五一年作的《小魚都來》,上方兩枝竹竿,垂下細細釣絲、魚餌,引來一群小魚争食。視點不在岸上,而是貼着水面。畫面异常單純、空靈而又生趣盎然。連篆書題的“小魚都來”幾個字的形象、意趣都充滿童心。令人感到這位九旬老人又回到了他快樂的童年時代,用孩子的眼光看周圍的生活,也把欣賞者吸引到他的感情世界之中。

他的許多作品充溢着對後人溫煦啟發、關懷的厚意,如畫兩隻小鷄争奪蚯蚓,題作“他日相呼”。畫南瓜(一九五〇年)題“此瓜南方謂為南瓜,其味甘芳,豐年可以作下飯菜,饑年可以作糧米,春來勿忘下種,大家慎之”,作絲瓜(一九四九年)題:“須知瓜菜半年糧”,字裏行間,有着畫家自身對生活艱辛的切實體驗,令人看了,心靈不能不受到觸動。至於那有“祖母聞鈴心始歡”長題的小幅《牧牛圖》,畫中過小溪時牧童與趑趄不前的小牛之動態描寫非常真確,深蘊於畫中的思鄉思親之情更是能够引發欣賞者豐富的生活聯想。

齊白石晚年的很多作品通過色與墨的强烈對比表現出奕奕奪人的感情力量。如一九五一年所作《佳人常在口頭香》中的櫻桃與盆架,一九五三年畫的《三千年》册頁中的蟠桃和花籃,都以墨綫之黑與色塊之紅、蒼與潤的對比與統一,給人留下難忘的印象;一九五五年所作的《祖國萬歲》,畫面至為集中、單純,一棵萬年青枝頭團簇着紅艷艷的果實,寬闊的葉子緊抱着花莖,畫面右上方是濃黑的大字題款,相互映照,把老畫家晚年一腔愛國熱忱表現得鮮明、强烈、動人!

一九五〇年五月,在參加北京市第一次文代會時,齊白石與作家老舍結識,而老舍夫人胡絜青則早在一九三九年就認識齊白石並為他的兩個兒子補習過詩詞。老舍曾為齊白石出一些刁鑽的題目,專揀前人詩詞中一些意境很美然而很難用可視的具體形象加以表現的句子請齊白石作畫。這激發了老畫家創造性的藝術構思,例如那幅著名作品《蛙聲十里出山泉》是清初文學家查慎行(初白)的詩句。要畫出十里蛙聲總不能畫幾隻青蛙就算數。老畫家苦苦思索了幾天,終於構思出一個巧妙的畫面:一群蝌蚪順着潺潺的山泉流瀉而出,既然有這麼多蝌蚪,遠處必有不少青蛙,那聒耳的蛙鳴也就充耳可聞了。畫面以形象的聯想作用引出聲音效果,畫的妙處豐富了詩的妙處。這幅作品幾乎可以視作《兩部蛙聲當鼓吹》一畫的姊妹篇,但構思的難度則大得多。以形象再現詩的意境,非常貼切、自然,毫無勉强、生硬之感。類似的成功作品還有以蘇曼殊詩句構思的《幾樹寒梅帶雪紅》、《手摘紅櫻拜美人》、《芭蕉葉捲抱秋花》,趙秋谷詩《凄迷燈火更宜秋》等,詩中形象雖較為具體,但在構思為畫面形象時不流於圖解,却也不易。《凄迷燈火更宜秋》畫家自題:“老舍兄臺愛此情調冷雋之作,倩白石畫,亦喜為之”。畫面處理脱出常格,畫的左上角露出窗户的一角,房内桌上有一盞油燈,火焰被窗外的微風吹斜了,一片紅葉由空中飄下,點出“秋”意。窗外的紅葉,窗内的燈火叠為同一畫面,葉的飄零、焰火的摇曳,烘托出“凄迷”的情調,通過具體形象再現出詩人心中的意象。畫的大部分空白,可以想象為牆,然而,那主要是留給欣賞者發揮想象的空間。若没有這片空白,畫的意境就過於直白了。傍右邊有長題兩行,下押兩章,斜對的左下邊緣,押三方較大的圖章,使構圖取得平衡。這種極清雋又富於現代

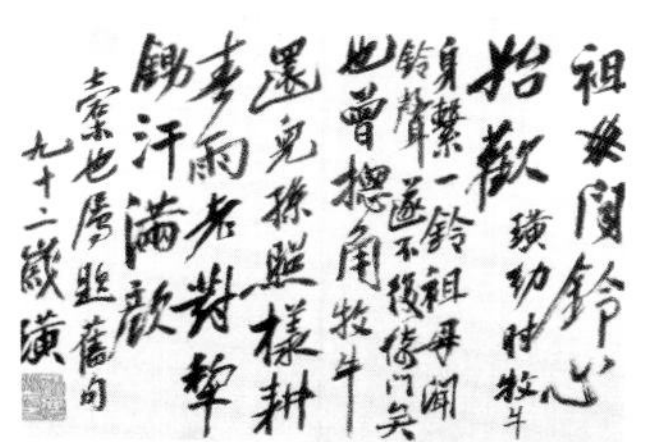

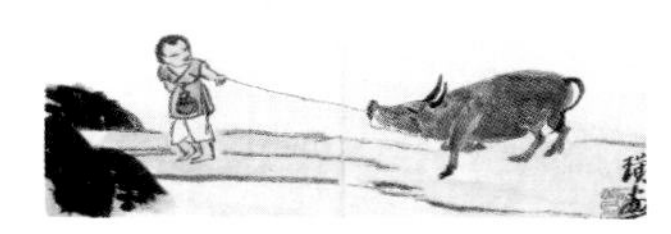

牧牛圖(一九五二年)

祖國萬歲(九十五歲)

蛙聲十里出山泉(一九五一年)

感的構圖在老人以往的作品中是不多見的,年屆九十高齡的齊白石仍在頑强地創造、發展着新的藝術表現形式。

《幾樹寒梅帶雪紅》處理亦奇。幾枝倒垂的梅花,花心敷粉,上方白紙天頭兩道焦墨痕是漫天大雪中露出的樹幹。這些簡單的形象把深雪的天候渲染得很充分,而傲雪盛開的梅花則又是生意盎然的,那正是畫家自己的心態之流露。《手摘紅櫻拜美人》,如果畫上出現的是一位美女,那就太煞風景了。齊白石畫的是一束紅花,插在俗稱做"魚尾觀音"造型的花瓶之中,使得意象更含蓄、更豐富、不落俗套。

從詩書畫印的結合來說,包括齊白石有些作品在内的不少文人畫,詩和題跋與畫面形象往往只是一種組合關係,是畫面結構、色彩構圖的一部份。上述幾件作品則是從作品的整體内涵上達到詩與畫的融匯、結合。文學性的加强和對意境的進一步追求,顯示了齊白石晚年繪畫創作的又一新發展。

齊白石晚年人物畫和山水畫數量不多,人物畫有些是重複過去的題材,如《不倒翁》。山水畫作品重要的有《滕王閣圖》(一九五二年作)、《江上餘霞》(一九五一年作)、《鴉歸殘照》(一九五四年作)等,所畫多為落霞烟樹、秋水長天、歸鴉殘照等景象,與那些花鳥蟲魚題材作品歡快的情調不同,令人從中感覺到老人暮年不已的壯心中隱含的惆悵與悲凉心緒。一九五〇年作的《沁園憶舊圖》,在一派田園景色中畫出對於當年在韶塘藕花吟館從師學畫的憶念之情。

一九五三至一九五四年之際,齊白石為東北博物館和東北美專(今遼寧省博物館、魯迅美術學院)等單位提供了一批很重要的、不同時期的作品,還專門為東北博物館主辦的齊白石畫展創作了一幅三百九十六厘米長的折枝花卉長卷(一九五四年作),合海棠、荷、菊、牡丹等四時花卉為一卷,自題稱"有解人當知此乃余平生破例也"。還有一套齊白石與其三子良琨合作的草蟲雜畫册,是齊白石晚年極精的花卉作品。齊白石作寫意花卉,齊良琨補蟲。將粗筆寫意花卉與工筆蟲蝶結合於一個畫面是齊白石的創造。寫意花卉老筆紛披與工筆蟲豸的精細生動,起着對比與相互襯托的作用,使繪畫形象愈發耐看,然而這種表現手法若施之於其它題材的繪畫創作,其效果却未必佳。齊良琨號子如,早年隨父學畫,能克紹箕裘。他畫的工筆蝴蝶、螳螂、飛蛾等小蟲,不僅止於精工,而且極富於意態。這套册頁構思構圖多有意外之妙,且有現代感。齊白石的寫意花草落筆突兀、險怪,由於小蟲位置、動態恰到好處的安排而化險為夷,平衡了構圖。

幾樹寒梅帶雪紅(一九五一年)

滕王閣(一九五二年)

折枝花卉卷(局部)

從一九五五年以後的作品看，齊白石的精力已明顯衰退，數量也日漸減少。筆墨的表現趨於不由自主的粗放、率易。題字時也不大能控制行次、字形的嚴整，到最後，甚至出現將筆畫、年月、歲數也寫錯的情況。但在精神狀態良好時創作的一些作品依然很有神采，能見出情感的熱烈、對生活的敏感和筆墨表現的力度。

一九五七年初，齊白石體力更顯衰退，常在飯後不能行走，需要別人拉動休息一段時間才漸能走動，意識也常處於迷糊狀態，但老畫家依然保持着經常作畫的習慣，不肯住院治療或打針。他最後一次外出是在同年的夏天，坐特製的安樂椅遊覽陶然亭。齊白石對陶然亭有特殊的感情，一九四二年，他曾在陶然亭置買一塊生壙，以作自己百年後的埋骨之所。

據齊白石的家人記述，他創作的最後一幅作品是《牡丹》。齊良已在《父親畫的最後一幅畫》一文中記下了這件作品創作過程的歷史瞬間：

“記得那天早晨，風和日暖，父親不用扶持竟自己從卧室走到畫室中來。按習慣，我知道他要畫畫了，趕快鋪開了紙，準備好了顏料等東西。父親和往常一樣，挽起袖子，不慌不忙，先看看準備好了的筆、墨等用具，在筆筒裏仔細找出了他想用的那枝筆，又用手摸了摸紙，仔細辨別了紙的正反面（這些都是父親的老習慣），然後拿起筆，對着紙停視了許久，然後小心翼翼地蘸了洋紅。我一看用大筆蘸洋紅，就知道要畫牡丹了，這是父親一生中最喜愛的花卉之一，就趕緊抻直了紙。這一天，父親情緒很好，興致極高，用墨用色，信手拈來，斗大的花朵比真花大有誇張，筆尖用極重的洋紅，筆根水份又飽滿欲滴，畫得淋漓盡致，顏色美艷絶倫，花葉由下到上是墨緑至老黄，有墨有色，色墨交替，真是隨心所欲。色未乾時用蒼勁的筆法勾的葉筋，時隱時顯，又筆筆見功，使得茁壯茂盛的葉子能分出陰陽向背和前後的層次來。父親勾完最後一片葉子，我便照例把畫用鐵夾子夾在横在屋裏的一根鐵絲上，父親坐在椅子上，看了許久，又拿回畫案上，特别小心地添了幾筆動葉，再挂起來，才點點頭：“要得（湖南話：可以了）。”⑤

魚（一九五七年）

牡丹（一九五七年）

那一年，他不止一次畫牡丹，還畫過魚、鷄冠花、牽牛花、葫蘆、蘿蔔，豆莢等，都是他平生喜愛，多次畫過的題材，是老畫家藝術生命的最後結晶。這些畫没有特別周到的經營，没有形象的逼真描寫，幾乎是憑着畫家潛在的本能，從腕底流瀉而出的，竟然達到了天籟的境地，有時花葉不分，變成渾然一體，然而迎風帶露，更加艷麗。那種逸出於法度之外的自由表現絶非刻意追求所能達到的。

胡蘿蔔豆莢(一九五七年)

百年後來者自有公論

齊白石於一九五七年九月十五日卧病，次日六時四十分逝於北京醫院，政府和文化藝術界為他舉行隆重的公祭之後，安葬在北京魏公村湖南公墓。

五十年代，中國畫界存在着虛無主義和保守主義兩種傾向，在新的時代條件下，再次展開關於中國畫命運和前途的論争。齊白石没有參與這些論争，他是以自己的作品雄辯地證實着中國畫藝術的永恒價值和强大的自我更新能力。在他去世的第二年，李可染著文論述齊白石的藝術成就，認為齊白石的歷史功績在於“把傳統上民間藝術和古典繪畫上格格不入的雅與俗統一起來，把形似與神似統一起來，把思想性與藝術性統一起來。最為重要的是，把數百年來古老的繪畫傳統與今天人民生活和思想感情的距離大大地拉近了，為中國畫創作開闢了革新的道路，這一點我認為是大大了不起的、劃時代的”。⑥然而，到“文革”中期，李可染却由於講了“我們中年一代的畫家如不向齊白石學習就犯了歷史錯誤”而受到批判。⑦

齊白石對於自己的藝術道路和成就儘管有過“他年人許老夫無”的疑問，然而他又堅信“百年後來者自有公論”。⑧

齊白石逝世以後，對齊白石和他的藝術成就在認識上有過反復，它反映着中國畫命運的升沉。一九六三年，齊白石百年誕辰，世界和平理事會推舉他為世界十大名人之一，海內外舉行了隆重的紀念活動。在北京舉辦了盛大的“世界文化名人、畫家齊白石誕生一百週年紀念展覽會”。三卷本的《齊白石作品集》也於同期出齊，這是建國以來對齊白石藝術研究的第一個高潮時期。不久，“文革”開始，中國畫被視為“四舊”，齊白石也一度受到批判，雖為時很短，但其陰影却一直籠罩於整個“文革”過程。七十年代末，掃除“文革”的霧翳之後，中國畫面臨新的繁

三卷本《齊白石作品集》(一九六三年)

榮,齊白石的藝術也重新獲得公正的評價。人們對於齊白石相近一個世紀的藝術實踐的巨大價值和借鑒意義,認識一直在不斷深化,也不斷有新的發現。

他的藝術屬於過去,也屬於未來。

一九九六年六月　北京安外

牡丹(一九五七年)

附注

①胡佩衡、胡橐《齊白石的畫法與欣賞》第三頁，人民美術出版社，北京，一九九二年二月，第二版。

②艾青《憶白石老人》《湘潭文史資料》第三輯，第三四——四一頁，湖南湘潭市政協文史資料研究委員會編，一九八四年八月第一版。

③見《湘潭文史資料》第三輯，第四六——五三頁。

④鬱風《掃除凡格總難能——在湘潭看齊白石紀念展》《湘潭文史資料》第三輯，第七七—八二頁。

⑤見《湘潭文史資料》第三輯，第一八六——一八七頁。

⑥李可染《談齊白石老師和他的畫》，原載《美術》一九五八年第五期，收入《李可染論藝術》第六三——七三頁，人民美術出版社，北京，一九九〇年第一版。

⑦李可染講的這些話見於趙浩生《李可染、吴作人談齊白石》一文(載香港《七十年代》一九七三年第十二期)

"文革"初期，齊白石曾經受到極左思潮的批判。粉粹"四人幫"後，文化界有關部門於一九七七年對齊白石和他的藝術謹慎地重新做出評價，肯定齊白石過去是一位愛國主義畫家，建國以後，擁護共産黨、擁護毛主席、擁護社會主義祖國，他的作品可以展出、出版和銷售。之後，各地報刊陸續刊出不少對齊白石的介紹，回憶和研究文章。到一九八四年，在湘潭、北京等地爲齊白石誕生一百二十週年舉行紀念大會和多項展覽活動之後，海内外對齊白石作品的出版和研究形成新的熱潮。

⑧齊白石《芙蓉小魚圖》跋語："余友方叔章嘗語余曰：'吾側耳竊聞居京華之畫家多嫉於君，或有稱之者，辭意必有貶損。'余猶未信。近晤諸友人面白余畫極荒唐，余始信然。然與余無傷，百年後來者自有公論。"

繪畫

一　古樹歸鴉圖　一九四九年　縱一三八厘米　橫四八厘米

二　山水鸕鷀　一九四九年　縱九七厘米　橫三八·五厘米

三　柳牛圖　一九四九年　縱一〇四厘米　橫三五·五厘米

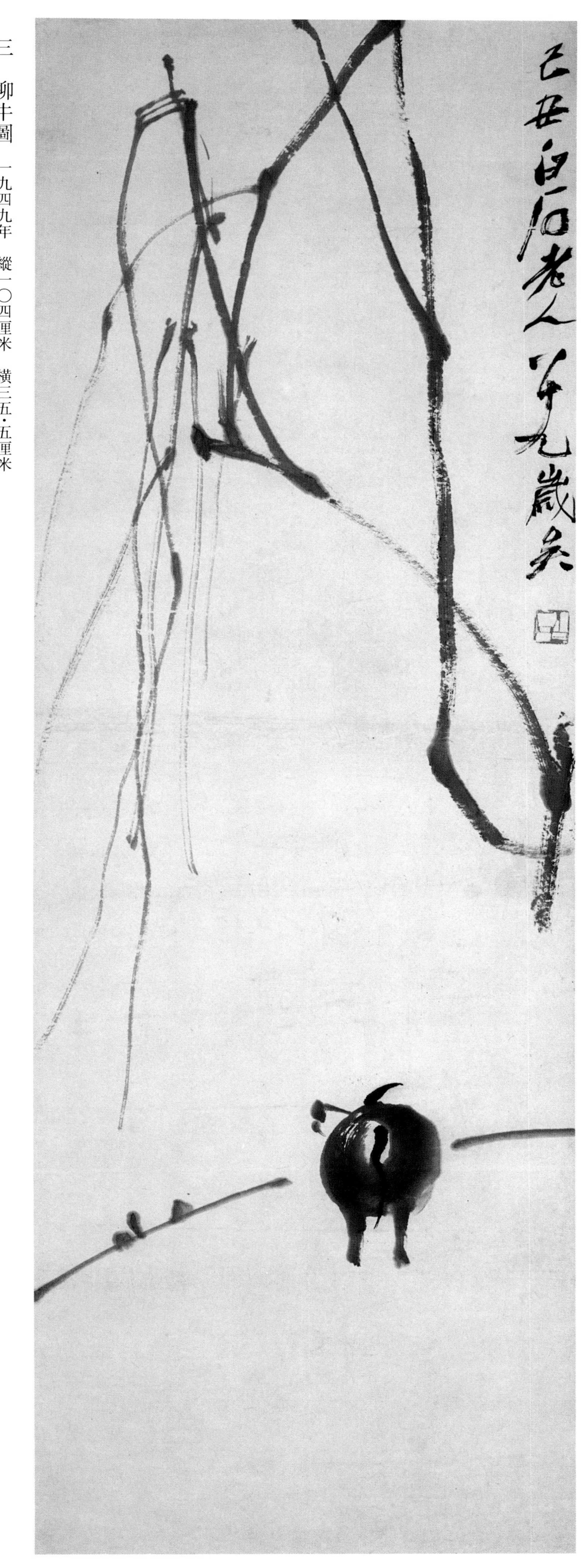

四 桂花玉兔

一九四九年 縱一一三厘米 橫三四厘米

五　枇杷雙鷄　一九四九年　縱一三三厘米　橫三五·五厘米

六　雛鷄　一九四九年　縱一一一厘米　橫三四・八厘米

七　籠鳩圖　一九四九年　縱六二厘米　橫三六厘米

八

群蝦

一九四九年　縱一三八·五厘米　横四一厘米

九蝦

一九四九年　縱一〇三厘米　横三四厘米

十　游魚（册頁）一九四九年　縱二一厘米　横三四厘米

一一　墨蟹　一九四九年　縱七六厘米　橫二七·五厘米

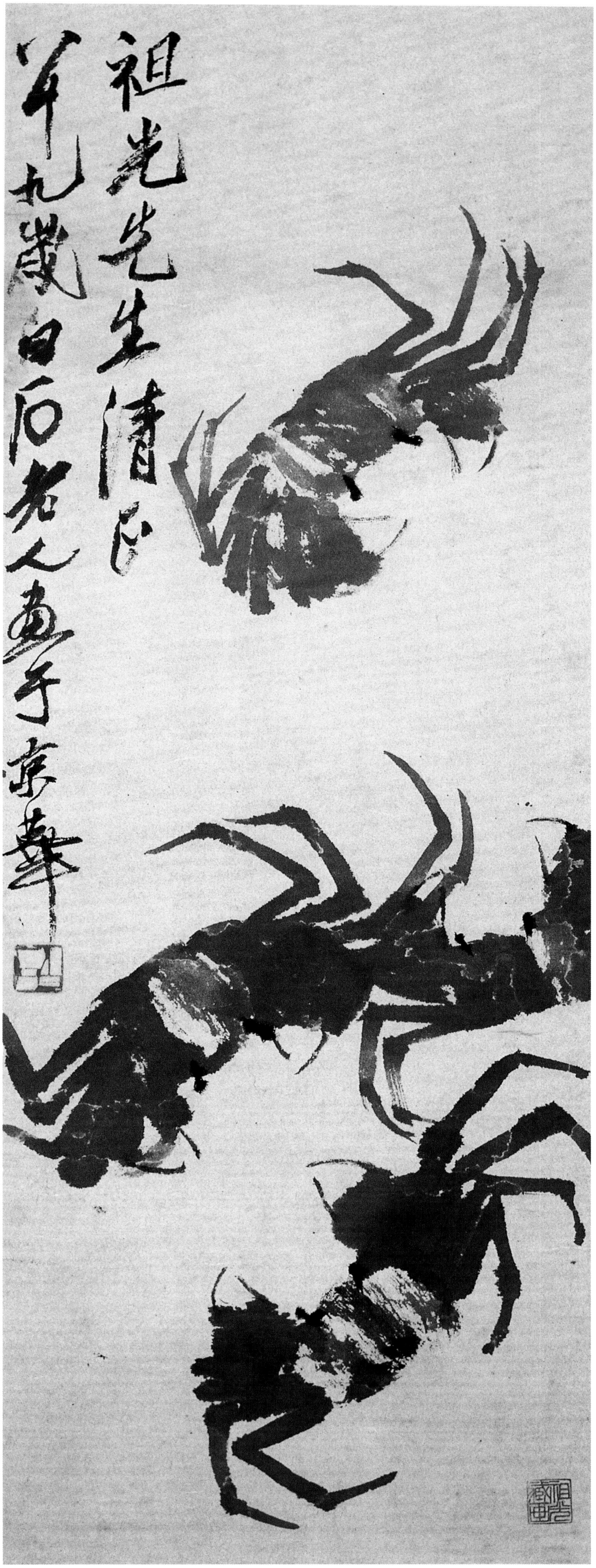

一二　白菜蜻蜓　一九四九年　縱六七·五厘米　横三三·九厘米

一三　蘿蔔螞蚱　一九四九年　縱七八厘米　横四〇厘米

一四 紅蓼青蛙 一九四九年 縱八二厘米 橫三七·五厘米

紅蓼青蛙（局部）

十九白石

一五　紅梅　一九四九年　縱九九·九厘米　横三三·六厘米

一六　松鼠　一九四九年　縱九〇厘米　橫四四厘米

一七 菊

一九四九年 縱一〇一厘米 橫三四厘米

一八　盆菊草蟲　一九四九年　縱一〇二厘米　橫三四厘米

一九　多壽圖　一九四九年　縱一七五·六厘米　橫四七·四厘米

多壽圖（局部）

二〇 墨蘭 一九四九年 縱一〇二·五厘米 横三四厘米

二一　蜻蜓雁來紅　一九四九年　縱八八・六厘米　横三〇厘米

己丑八十九歲白石老人

二一 誰謂秋花無佳色 一九四九年 縱一〇〇·五厘米 橫三四厘米

二三　海棠花　一九四九年　縱一〇五厘米　横三四·四厘米

二四　瓜菜半年糧　一九四九年　縱九四・六厘米　橫三二厘米

二五　螃蟹　一九四九年　縱九〇厘米　横二九厘米

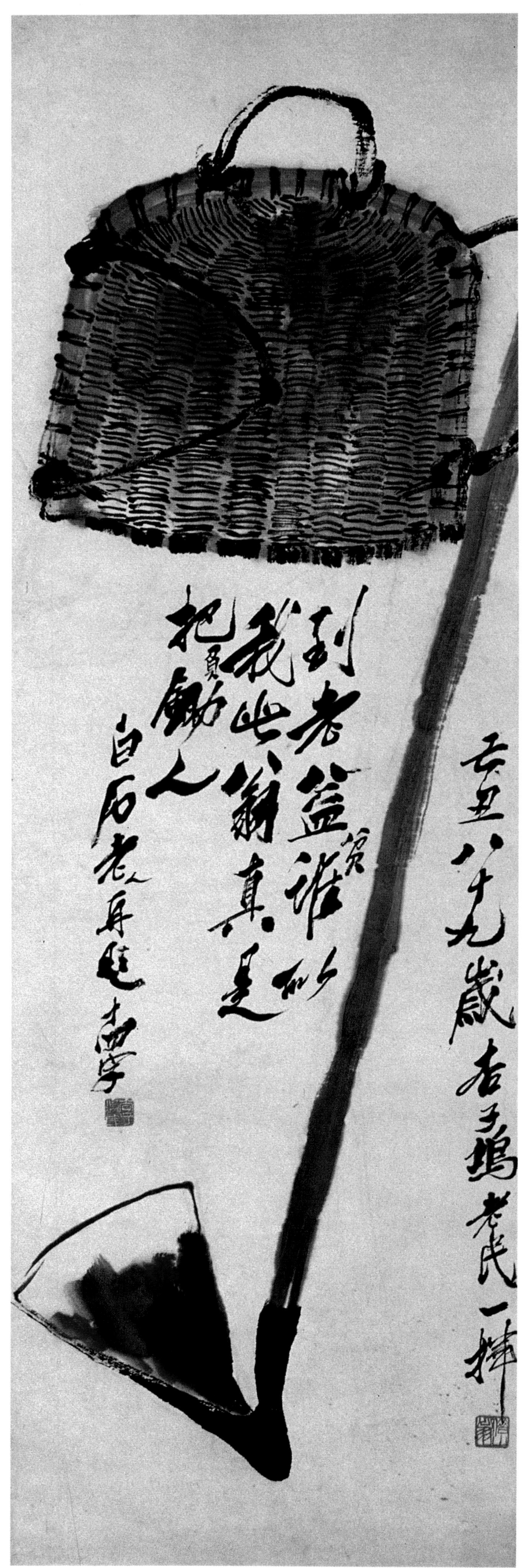

二六　農具　一九四九年　縱一三一厘米　橫四一厘米

二七 佛手·菊花 一九四九年 縱九九厘米 橫三三·五厘米

二八　松鷹圖　一九四九年　縱一二〇厘米　橫四〇厘米

二九　雙喜　一九四九年　縱一五四厘米　橫四二厘米

三〇　松鷹圖　一九五〇年　縱一三五厘米　橫五二·五厘米

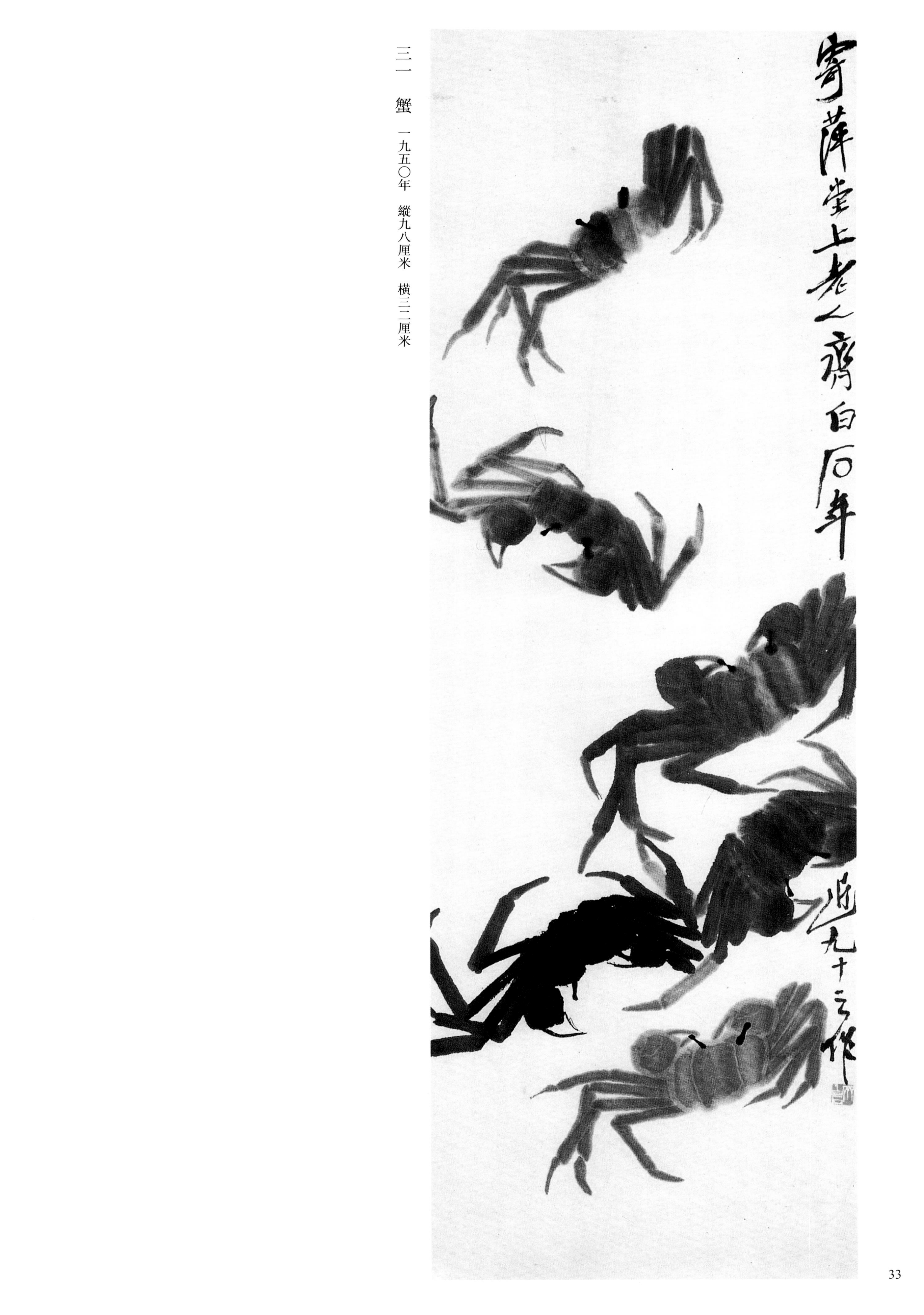

三一 蟹 一九五〇年 縱九八厘米 横三二厘米

三二　蝦群　一九五〇年　縱一〇五厘米　橫三五厘米

三三　君壽千年　一九五〇年　縱一三七·一厘米　橫三四厘米

三四　多壽　一九五〇年　縱一三四・二厘米　橫三三・九厘米

三五　長壽　一九五〇年　縱一四四厘米　橫三六厘米

三六　雙壽圖　一九五〇年　縱六〇厘米　橫三〇厘米

三七　大利　約一九五〇年　縱六八厘米　橫三四·五厘米

三八　藤蘿蜜蜂　一九五〇年　縱一四六厘米　横四三·五厘米

三九　菊花　一九五〇年　縱一三六厘米　橫三三厘米

四〇　葡萄　一九五〇年　縱一〇二厘米　横三四厘米

四一　海棠　一九五〇年　縱九五厘米　横三五厘米

四二　螃蟹　一九五〇年　縱六九厘米　横三五厘米

四三　雛鷄草蟲（扇面）一九五〇年　縱二〇厘米　横五六厘米

四四　水族圖　一九五〇年　縱一三八厘米　橫三四·五厘米

水族圖 （局部）

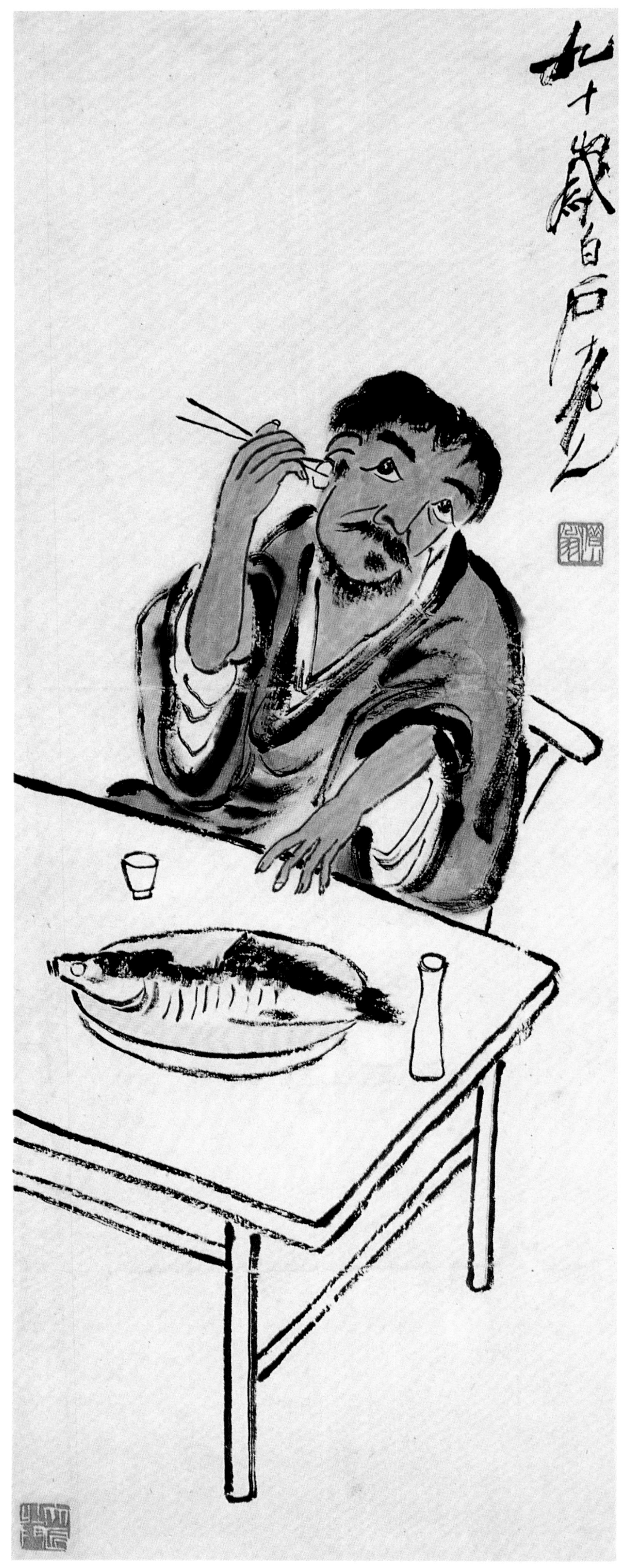

四五　耳食圖　一九五〇年　縱九七厘米　橫三六・五厘米

四六　鼠燭圖　一九五〇年　縱一〇〇厘米　橫三三厘米

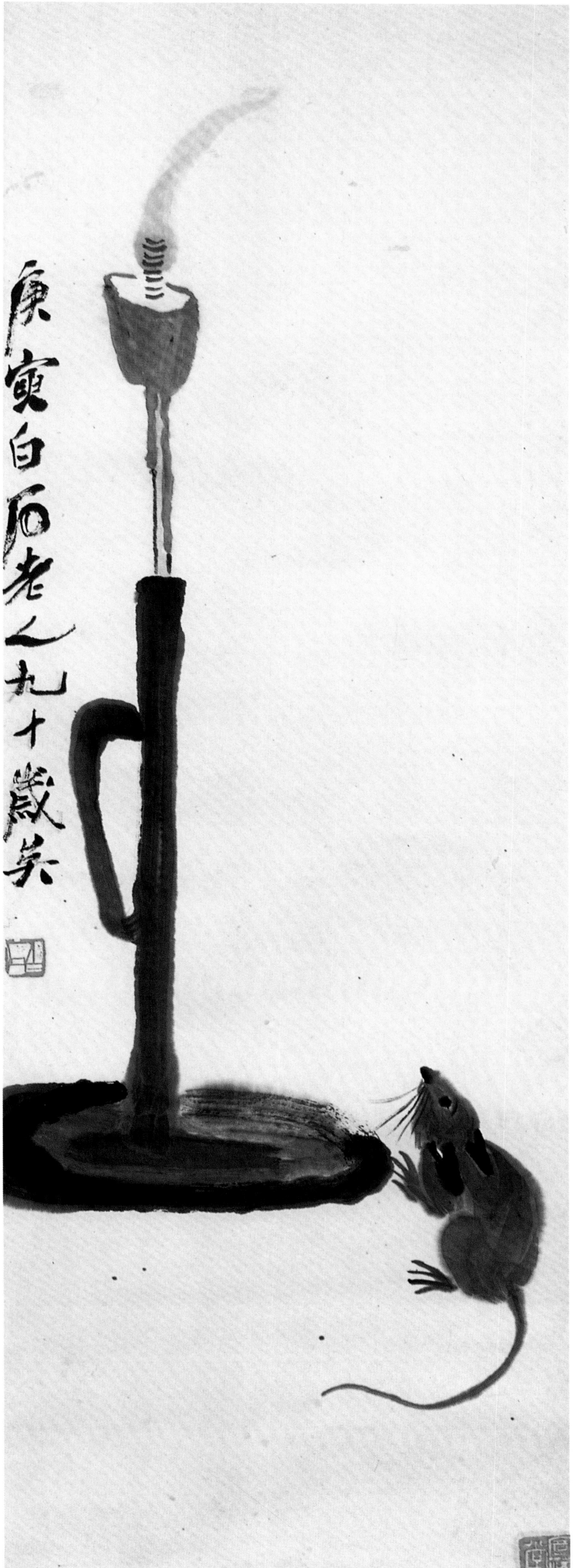

四七　南瓜甘芳

一九五〇年　縱一八一厘米　橫六四厘米

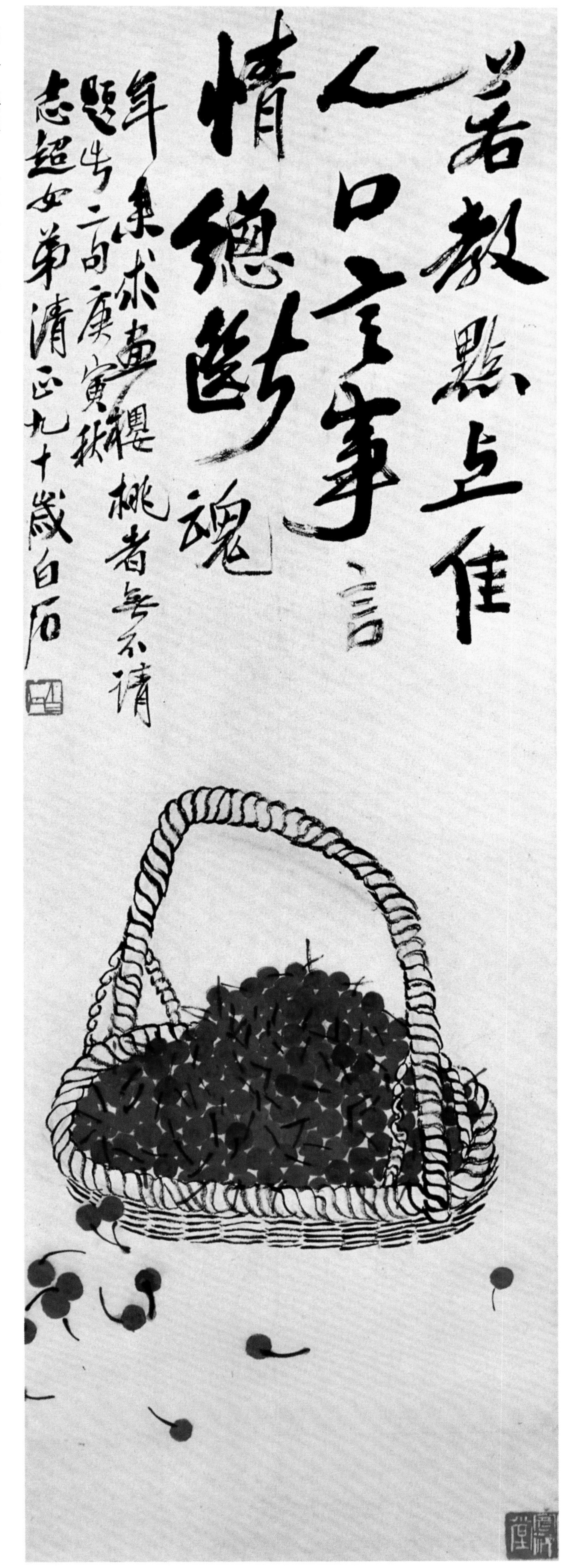

四八　櫻桃　一九五〇年　縱一〇一·五厘米　橫三三·七厘米

四九　荔枝松鼠　一九五〇年　縱一〇五厘米　橫三四·五厘米

五〇　牡丹　一九五〇年　縱一三八厘米　橫三四厘米

五一　延年益壽（扇面）一九五〇年　縱一九·八厘米　橫五四·五厘米

五二　沁園憶舊圖　一九五〇年　縱一三六・四厘米　橫三四・三厘米

五三　燈蛾（草蟲册之一）約一九五〇年　縱三三厘米　横二六·五厘米

五四　芭蕉蜻蜓（草蟲册之二）約一九五〇年　縱三三厘米　横二六·五厘米

五五　松枝小蜂　（草蟲册之三）　約一九五〇年　縱三三厘米　橫二六·五厘米

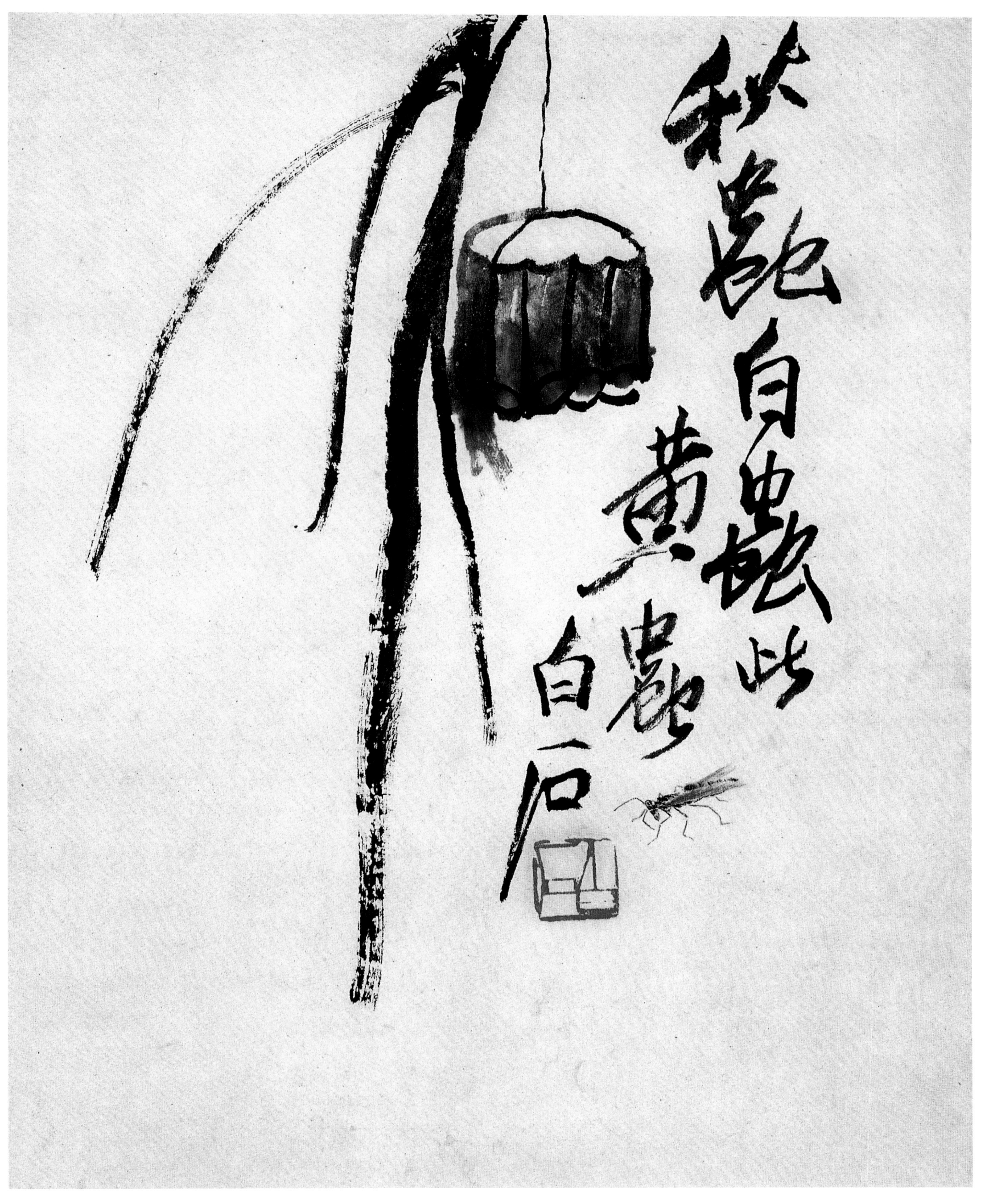

五六　懸枝蜂窩（草蟲册之四）約一九五〇年　縱三三厘米　横二六·五厘米

五七　蘭草蚱蜢（草蟲册之五）約一九五〇年　縱三三厘米　横二六·五厘米

五八　雙鴿圖　一九五〇年　縱四一·六厘米　横五〇·三厘米

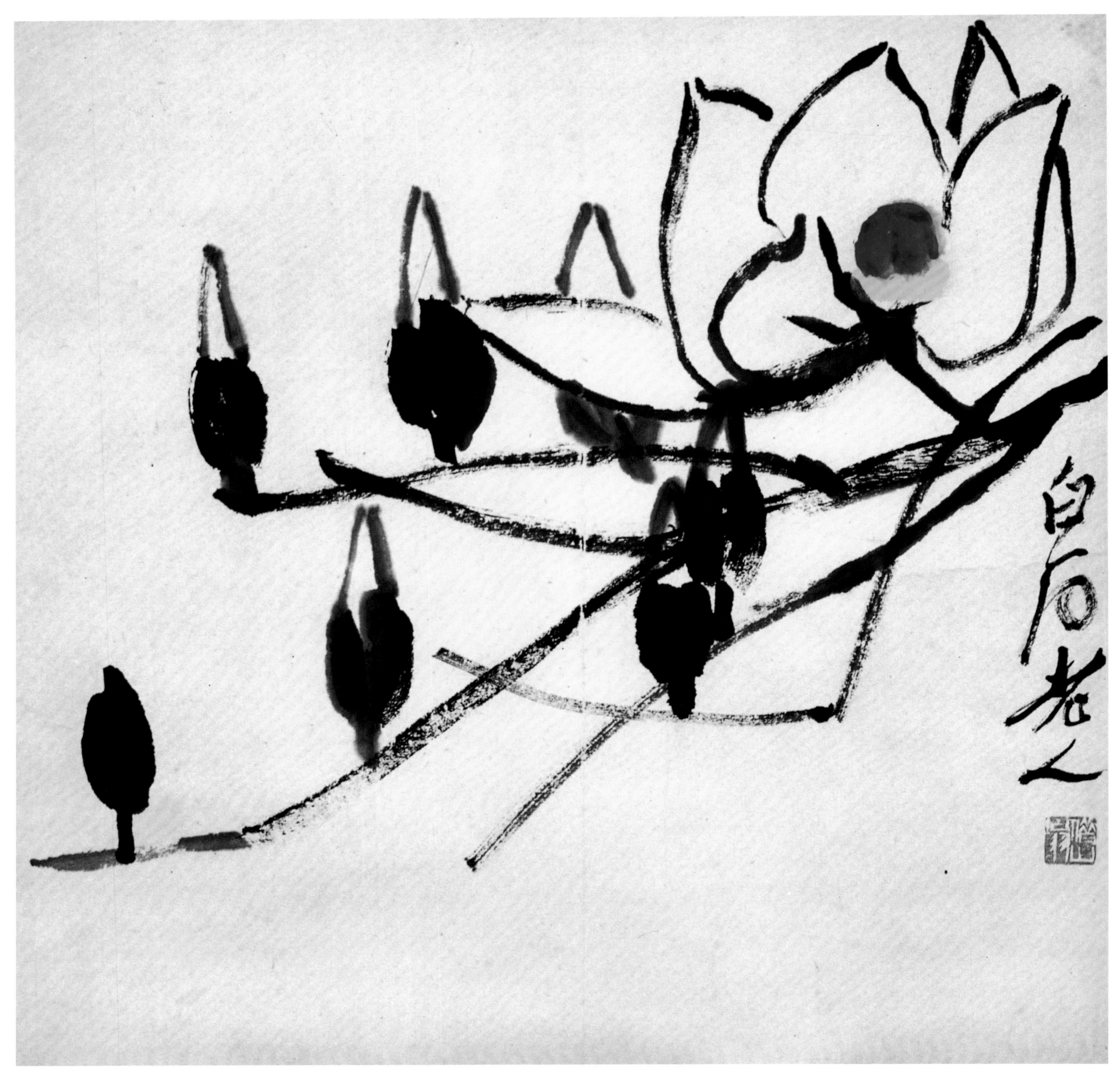

五九　玉蘭（冊頁）約一九五〇年　縱三四厘米　橫三四厘米

六〇　紫藤（册頁）約一九五〇年　縱三四厘米　橫三四厘米

六一 江上餘霞 一九五一年 縱一二〇厘米 橫三八厘米

六二　荷花雙鴨　一九五一年　縱一八三厘米　橫七二厘米

六三　山居圖　一九五一年　縱六七·五厘米　橫四一厘米

六四　萬竹山居　一九五一年　縱六八·五厘米　橫四一·五厘米

六五 凄迷燈火更宜秋 一九五一年 縱一三六·五厘米 橫三三·五厘米

六六　手摘紅櫻拜美人　一九五一年　縱一〇五厘米　橫三八厘米

六七　蛙聲十里出山泉　一九五一年　縱一三四厘米　橫三四厘米

蛙聲十里出山泉（局部）

六八　幾樹寒梅帶雪紅　一九五一年　縱一〇七厘米　橫三八厘米

六九　芭蕉葉捲抱秋花

一九五一年　縱一〇一厘米　橫三六·五厘米

七〇 團叙一堂 一九五一年 縱一〇〇厘米 橫五一厘米

七一　益壽延年　一九五一年　縱一八〇厘米　橫七〇厘米

七二　牡丹　一九五一年　縱一〇二·五厘米　橫三四·五厘米

七三　牡丹　一九五一年　縱九九厘米　橫三三厘米

七四 眉壽 一九五一年 縱一〇二厘米 横三四厘米

眉壽（局部）

七五　荔枝綬帶　一九五一年　縱一〇二厘米　横三四厘米

七六　多壽　一九五一年　縱一〇二厘米　橫三六厘米

七七　他日相呼（册頁）約五十年代初期　縱二八厘米　横一七·五厘米

七八　枇杷　一九五一年　縱七八厘米　横四〇厘米

七九　願世界人都如此鳥　一九五一年　縱九九厘米　橫四〇厘米

八〇　蟹　（扇面）　一九五一年　縱二〇厘米　橫六四厘米

八一　福壽齊眉（扇面）一九五一年　縱一八厘米　橫五七厘米

八二　和平（扇面）一九五一年　縱二〇厘米　橫六六·五厘米

八三　蘭花蚱蜢（扇面）一九五一年　縱一八厘米　横五五·五厘米

八四　梅蝶圖（扇面）一九五一年　縱一八厘米　橫五四厘米

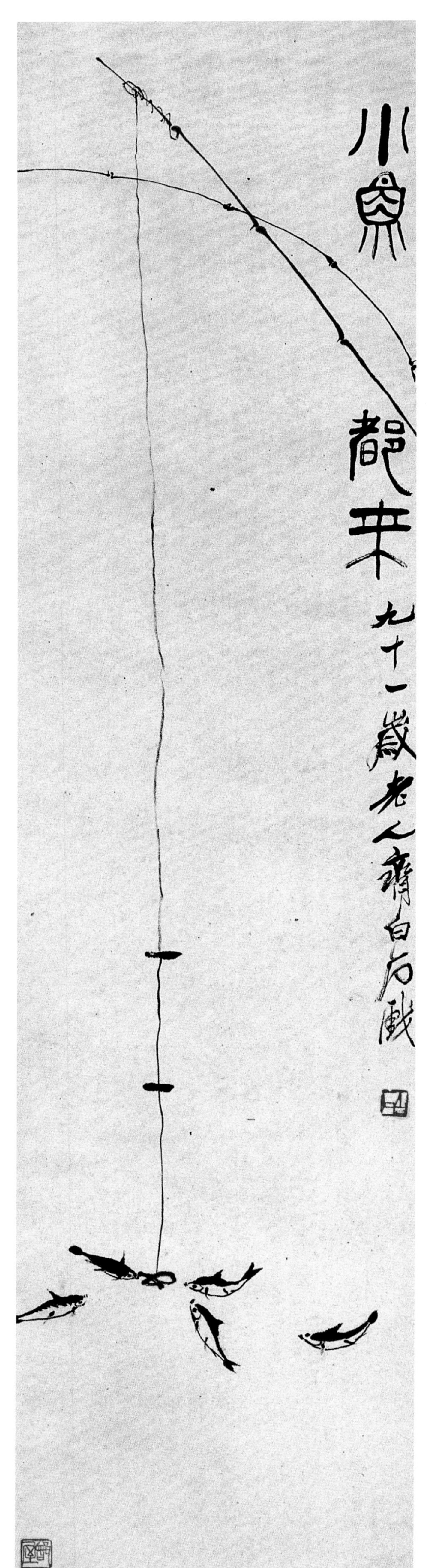

八五　小魚都來　一九五一年　縱一三七·七厘米　橫三四·四厘米

八六　蝦　一九五一年　縱五六厘米　橫二九·五厘米

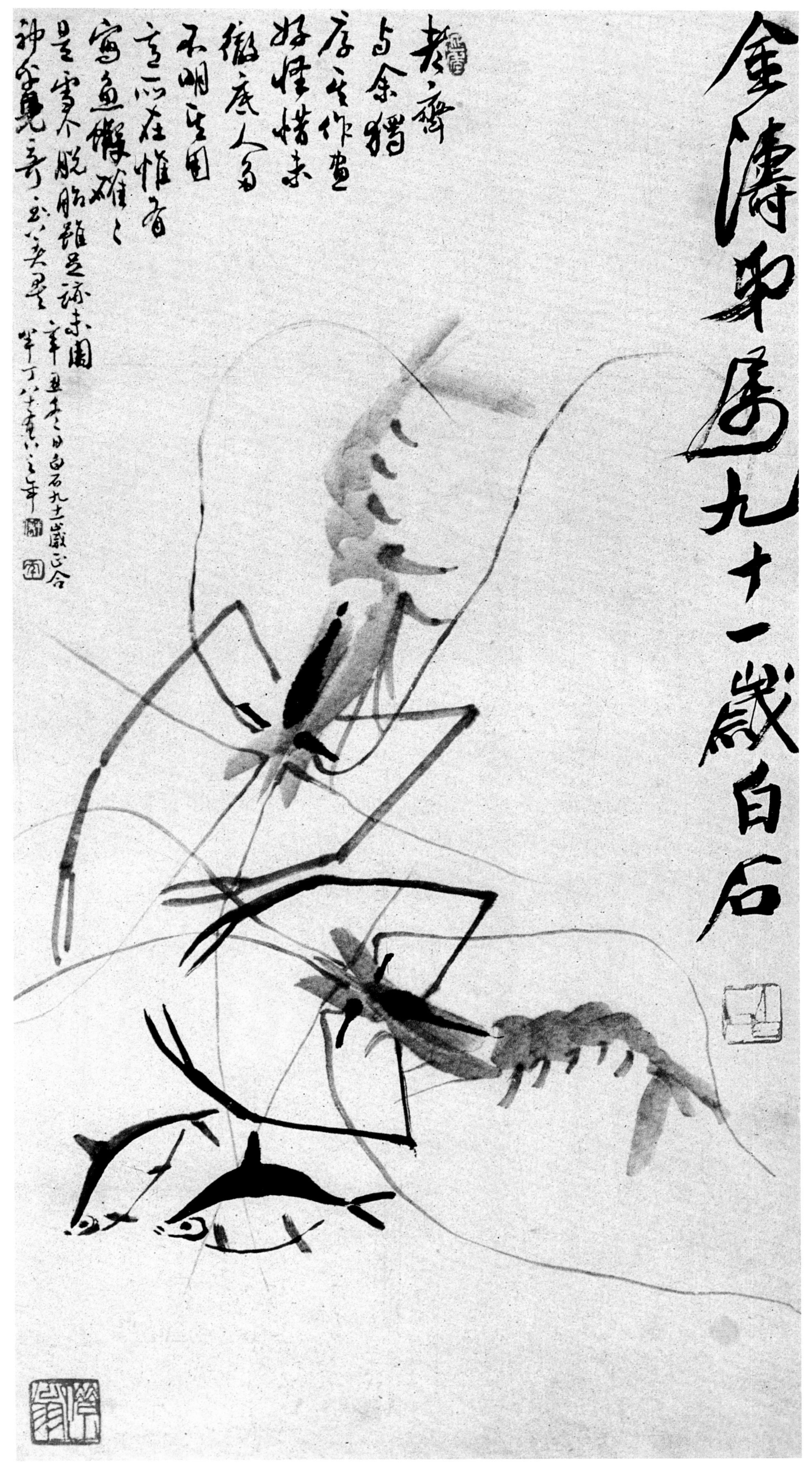

八七　蝦

一九五一年　縱一〇四厘米　橫三四厘米

八八 蝦 一九五一年 縱一〇〇厘米 橫三四厘米

八九 蟹 一九五一年 縱九九厘米 横三三厘米

蟹（局部）

九〇　紫藤蜜蜂　（册頁）　一九五一年　縱二七厘米　橫三三厘米

九一　青蛙　一九五一年　縱一〇五厘米　橫三四厘米

九二　長壽　（册頁）　約一九五一年　縱二八厘米　横一七·五厘米

九三　青蛙　一九五一年　縱一〇三·三厘米　横三四·三厘米

九四　竹笋白菜　一九五一年　縱一〇一·九厘米　横三四·四厘米

九五　佳人常在口頭香　一九五一年　縱一〇二·八厘米　橫三四厘米

九六　紫藤　一九五一年　縱一四〇厘米　橫三四厘米

九七　荷塘秋色　一九五一年　縱一三二·九厘米　横五九·六厘米

九八　風竹　一九五一年　縱四八厘米　橫八一厘米

九九　枇杷　一九五一年　縱六八厘米　橫三四·五厘米

一〇〇　菊　一九五一年　縱一〇五厘米　橫三六厘米

一〇一　蜂蝶為花忙（册頁之一）一九五一年　縱二八·四厘米　橫二八·四厘米

一〇二　雁來紅（册頁之二）　一九五一年　縱二八·四厘米　横二八·四厘米

一〇三　楓葉蟋蟀（册頁之三）一九五一年　縱二八·四厘米　横二八·四厘米

一〇四　蝦（册頁之四）一九五一年　縱二八·四厘米　横二八·四厘米

一〇五　蟹（册頁之五）一九五一年　縱二八·四厘米　横二八·四厘米

一〇六　枇杷　（册頁之六）　一九五一年　縱二八·四厘米　横二八·四厘米

一〇七　牽牛花（册頁之七）一九五一年　縱二八·四厘米　橫二八·四厘米

一〇八　五世同堂（册頁之八）一九五一年　縱二八·四厘米　橫二八·四厘米

一〇九　蓮荷　（册頁之九）　一九五一年　縱二八·四厘米　橫二八·四厘米

一一〇　葡萄老鼠（册頁之十）一九五一年　縱二八·四厘米　橫二八·四厘米

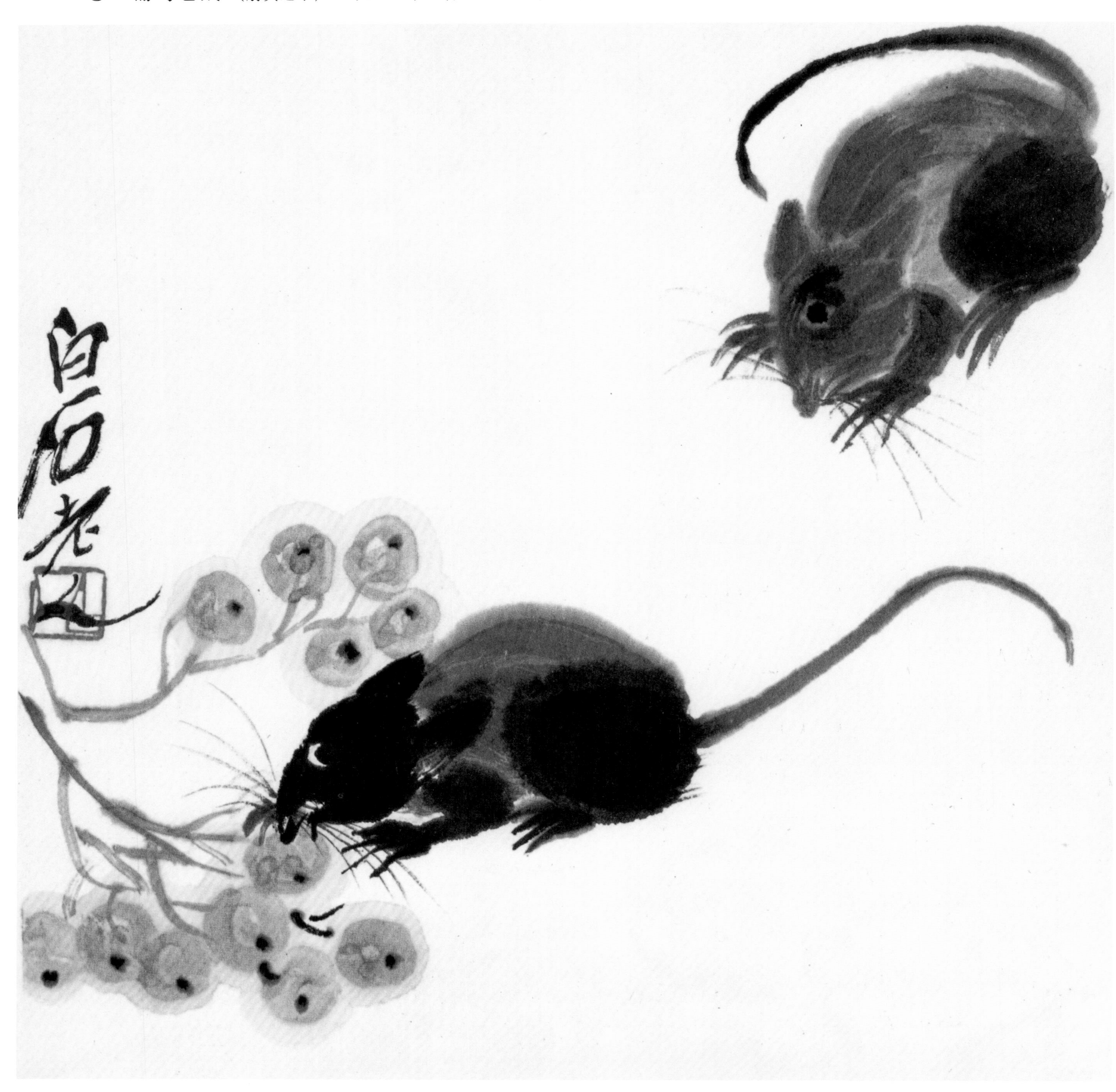

一一一　水草青蛙（册頁之十一）　一九五一年　縱二八·四厘米　横二八·四厘米

一一二　**櫻桃**（册頁之十二）　一九五一年　縱二八·四厘米　横二八·四厘米

一一三　棕樹　一九五一年　縱一七八厘米　橫四八厘米

一一四 荔枝八哥 一九五二年 縱六九厘米 横三六厘米

一一五　梅花茶具圖　一九五二年　縱三四厘米　橫二七厘米

一一六 鴿子 一九五二年 縱八二·五厘米 橫三二厘米

一一七　和平鴿　一九五二年　縱一〇〇厘米　横三三厘米

一一八　和平　一九五二年　縱七二厘米　橫四二厘米

一一九　和平（册頁）　一九五二年　縱三六厘米　橫三〇厘米

一二〇　和平鴿（册頁）一九五二年　縱三四厘米　横五八厘米

一二一　世世太平　一九五二年　縱六六厘米　橫三九・五厘米

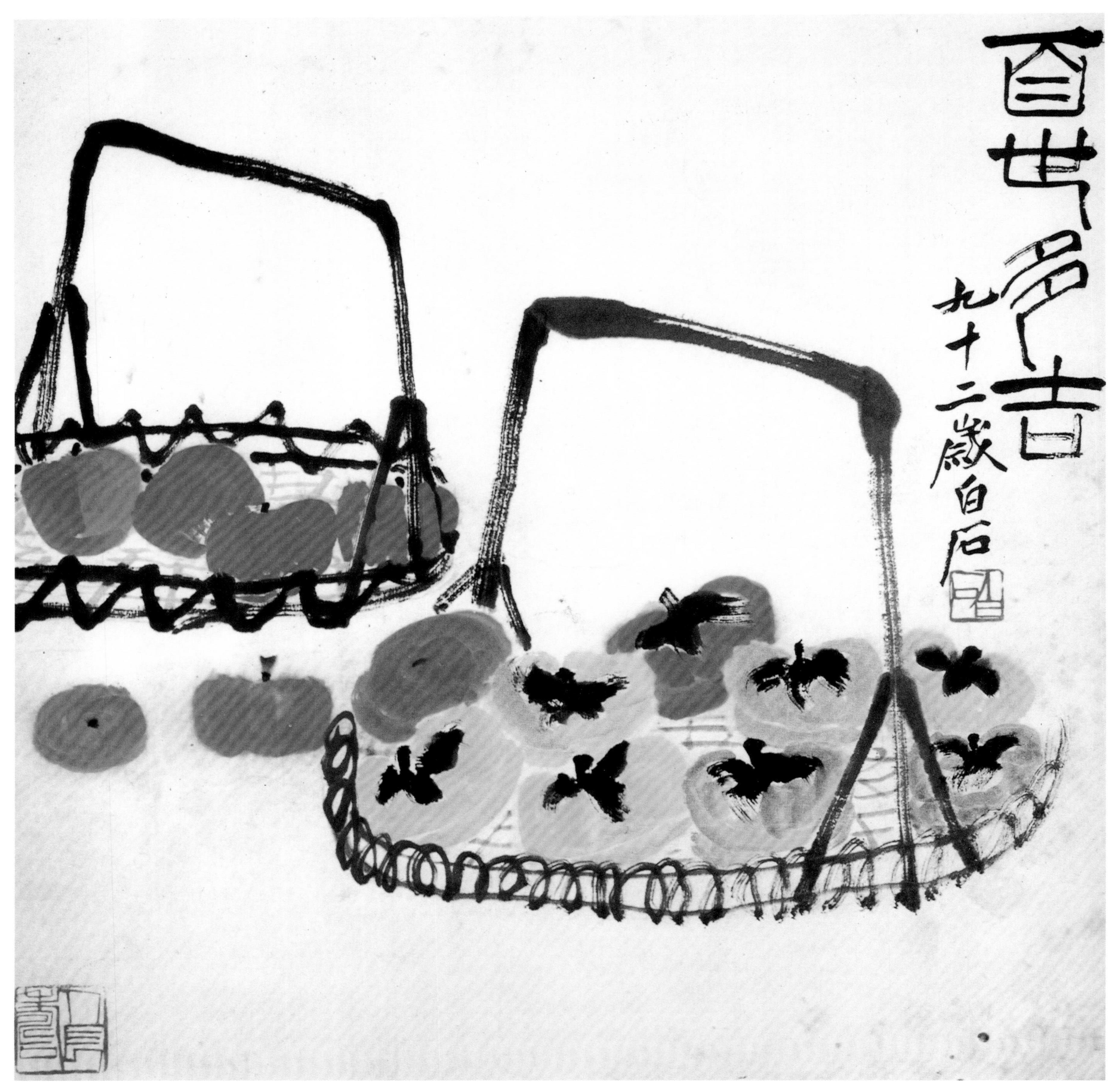

一二二　百世多吉　(册頁)　一九五二年　縱六四·五厘米　横六四厘米

一二三　鴿（册頁）一九五二年　縱三〇厘米　横四〇厘米

一二四　喜鵲　一九五二年　縱一〇二厘米　橫三三厘米

一二五　滕王閣　一九五二年　縱一〇五・一厘米　横四九・五厘米

一二六　雨耕圖　一九五二年　縱七〇厘米　横五三厘米

一二七　雨耕圖　一九五二年　縱六九厘米　橫五二·七厘米

祖母聞鈴心始歡　璜幼時牧牛身繫一鈴祖母聞鈴聲遂不復倚門矣　也曾總角牧牛還兒孫照樣耕春雨老對犁鋤汗滿顏　壽也偶題舊句　九十二歲璜

一二八　牧牛圖　（册頁）　一九五二年　縱三六厘米　横五二厘米

一二九　紅梅喜鵲圖　一九五二年　縱一七三厘米　橫五三厘米

一三〇　桃　一九五二年　縱一一七·六厘米　橫四一·七厘米

一三一　竹鷄　一九五二年　縱一〇四·五厘米　横三四厘米

一三二

猫蝶圖　一九五二年　縱一三九・五厘米　横三四・五厘米

猫蝶圖（局部）

一三三　秋葉鳴蟬　一九五二年　縱九八厘米　橫三四厘米

秋葉鳴蟬 （局部）

一三四　牽牛花　一九五二年　縱一〇五・六厘米　橫四五・二厘米

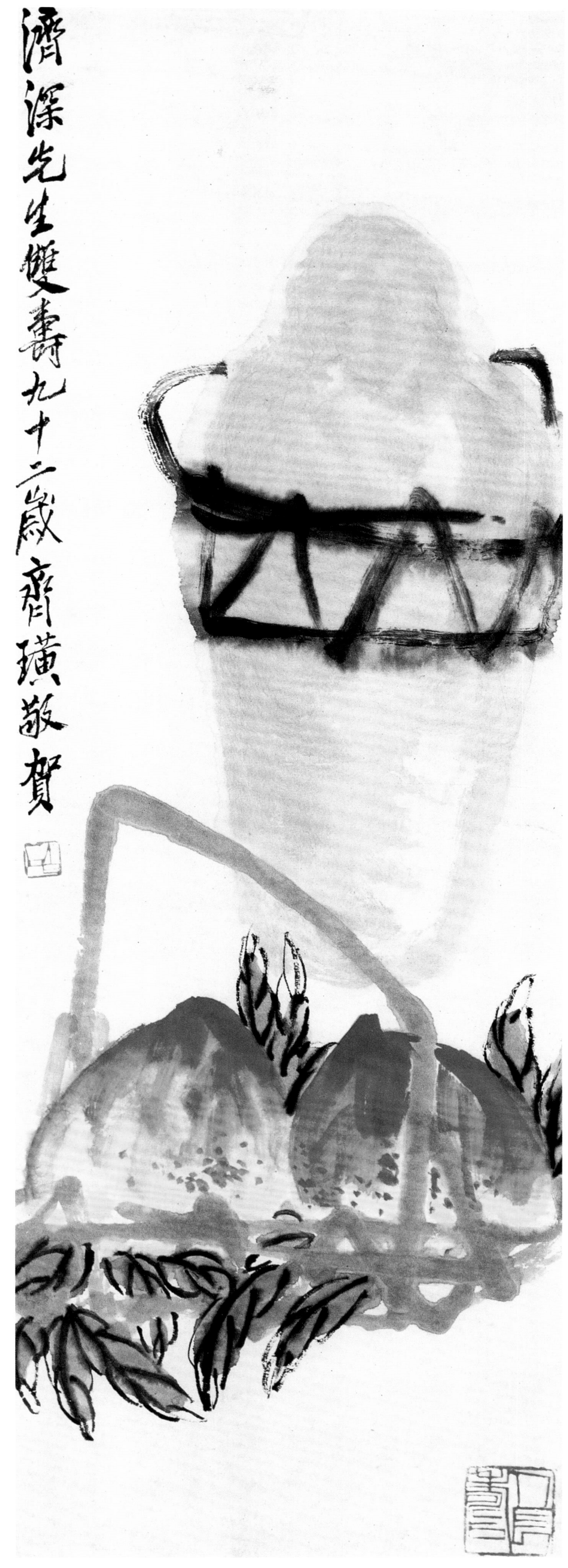

一三五　雙壽圖　一九五二年　縱一〇〇厘米　橫三四・五厘米

一三六　瓜蟲圖　一九五二年　縱一三六厘米　橫三四厘米

一三七　枇杷竹簍　一九五二年　縱一〇三·五厘米　橫三三厘米

一三八　青蛙蝌蚪　一九五二年　縱一〇二·五厘米　橫三四·五厘米

一三九　芋葉青蛙　一九五二年　縱一〇五厘米　橫三六厘米

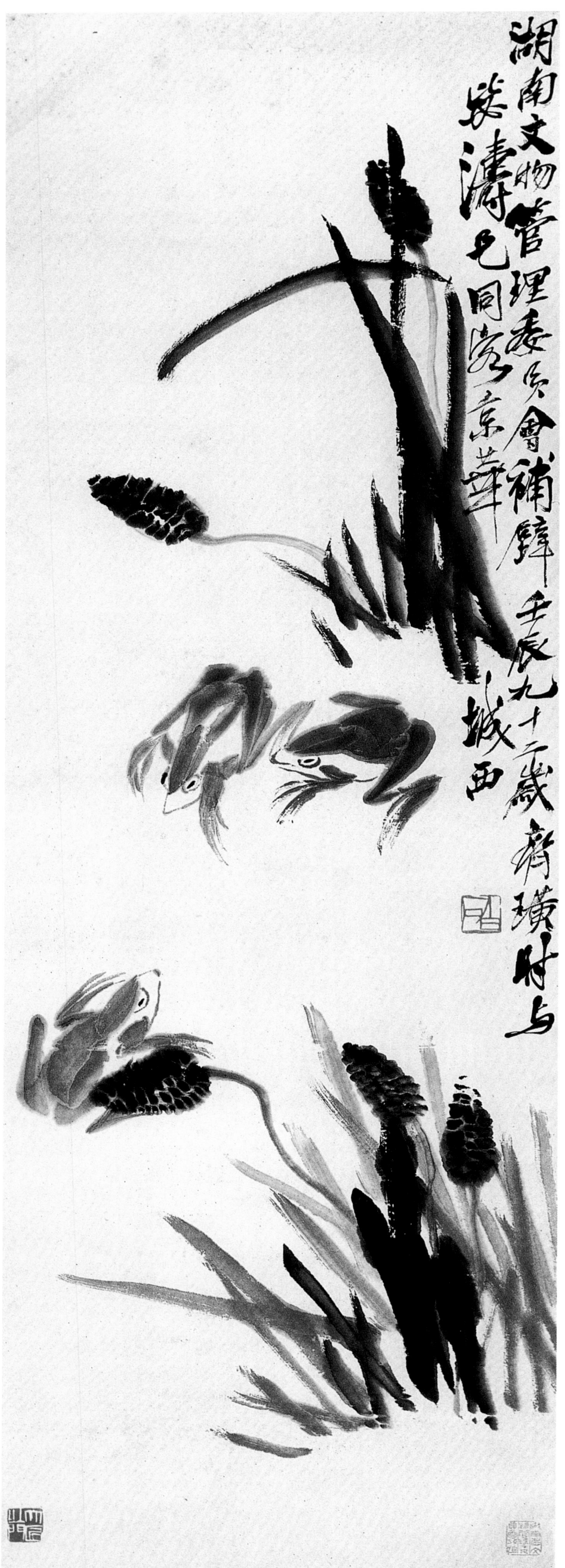

一四〇 蛙戲 一九五二年 縱一三七厘米 橫四七厘米

蛙戲 （局部）

一四一　魚蟹圖　一九五二年　縱七〇厘米　橫四二厘米

一四二　鯉魚　一九五二年　縱一〇三厘米　橫三四厘米

一四三 魚 一九五二年 縱一〇二厘米 橫三四·五厘米

一四四　荷花鴛鴦　一九五二年　縱九二厘米　橫四六厘米

一四五　出籠　一九五二年　縱一〇三厘米　橫三三・五厘米

出籠（局部）

一四六　二三子（册頁）約五十年代初期　縱三七厘米　橫三三厘米

一四七　菊花　一九五二年　縱七七厘米　橫四二厘米

一四八　立高聲遠　一九五二年　縱一〇七厘米　橫三四厘米

立高聲遠 （局部）

一四九 絲瓜

一九五二年 縱六九厘米 橫四〇・五厘米

一五〇　荔枝（蔬果册之一）一九五二年　縱三四厘米　横三四厘米

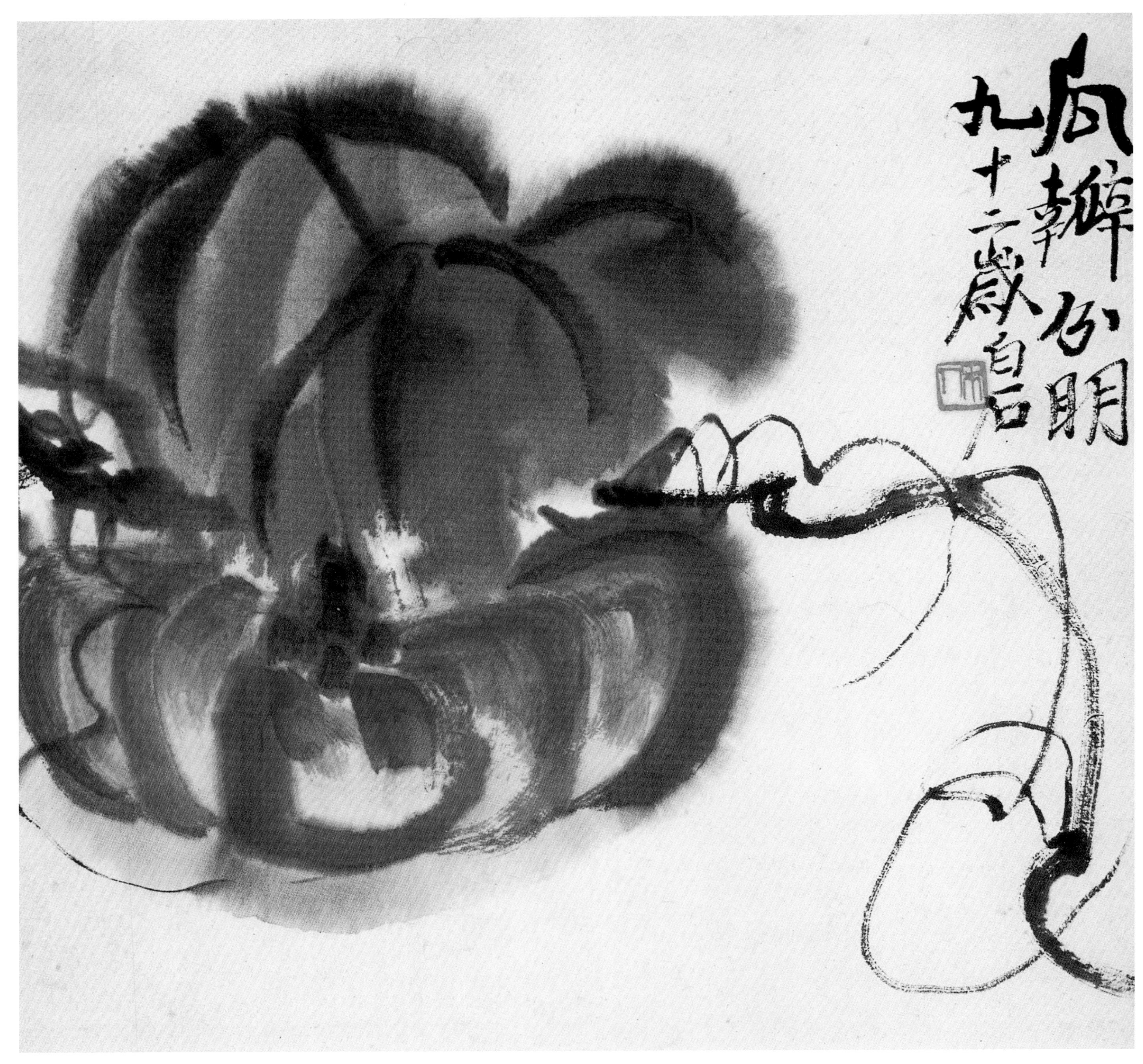

一五一　南瓜（蔬果册之二）一九五二年　縱三四厘米　橫三四厘米

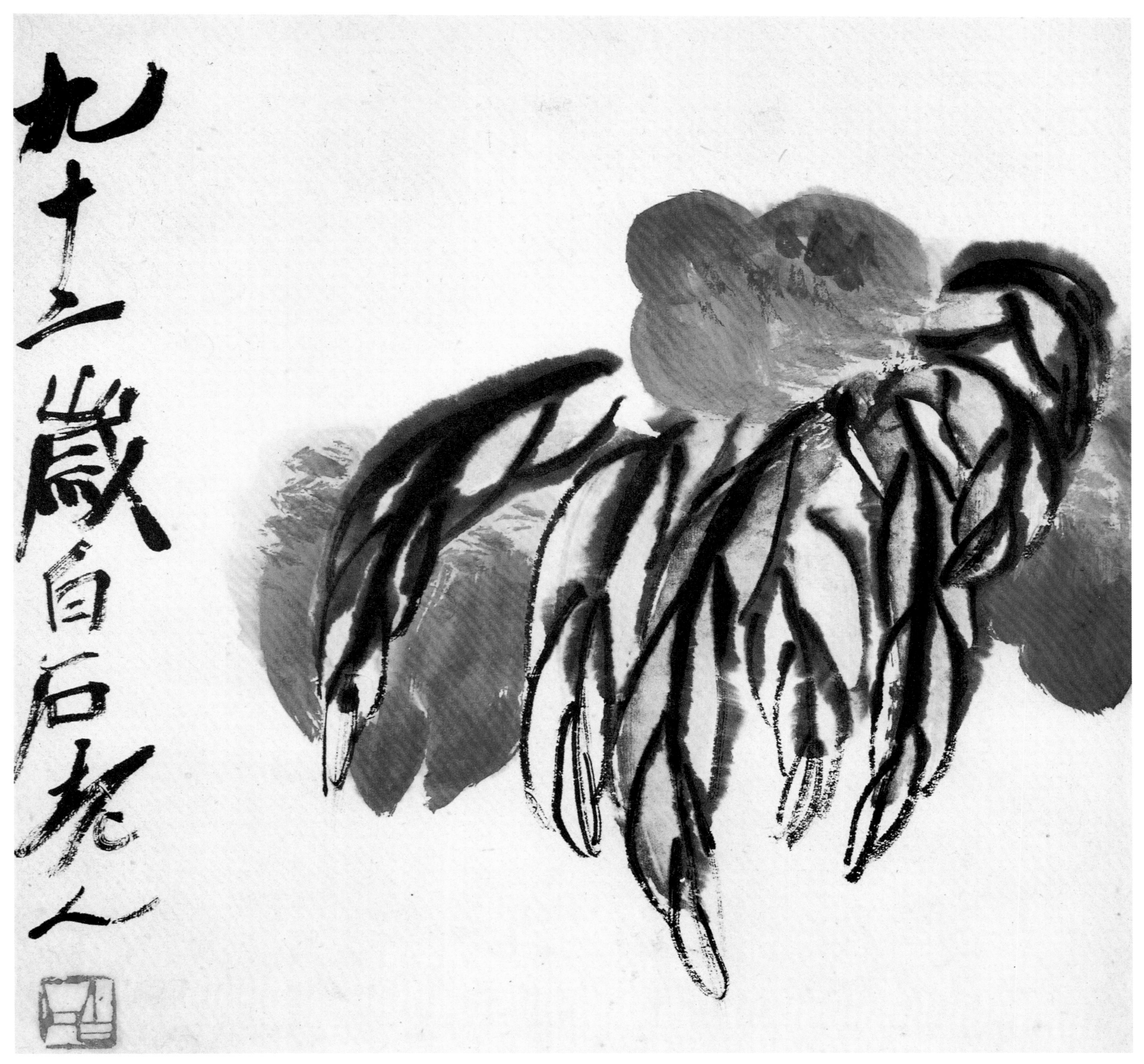

一五二　桃（蔬果册之三）　一九五二年　縱三四厘米　横三四厘米

一五三　野菌　（蔬果册之四）　一九五二年　縱三四厘米　横三四厘米

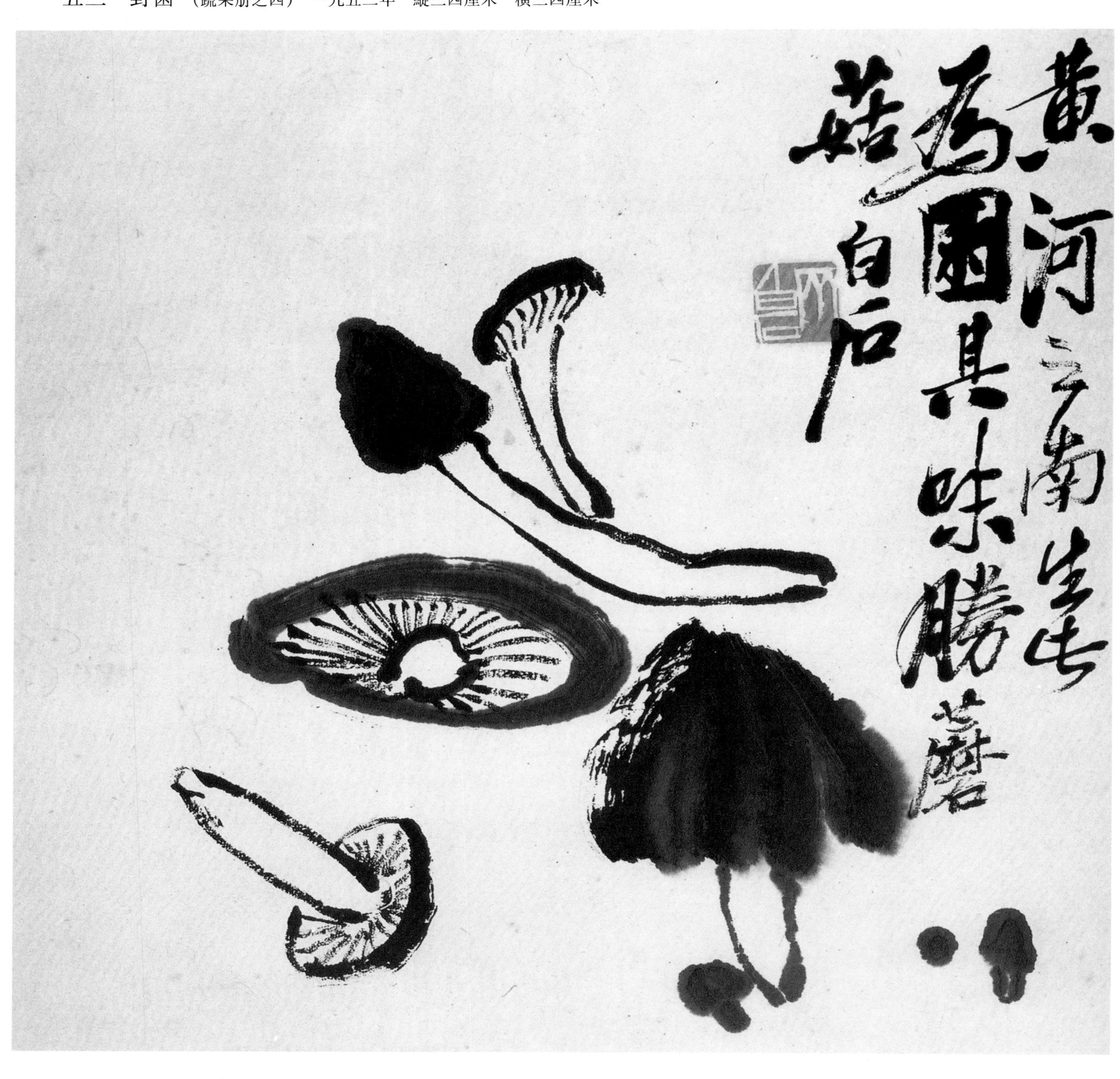

一五四　葡萄蘋果（蔬果册之五）一九五二年　縱三四厘米　横三四厘米

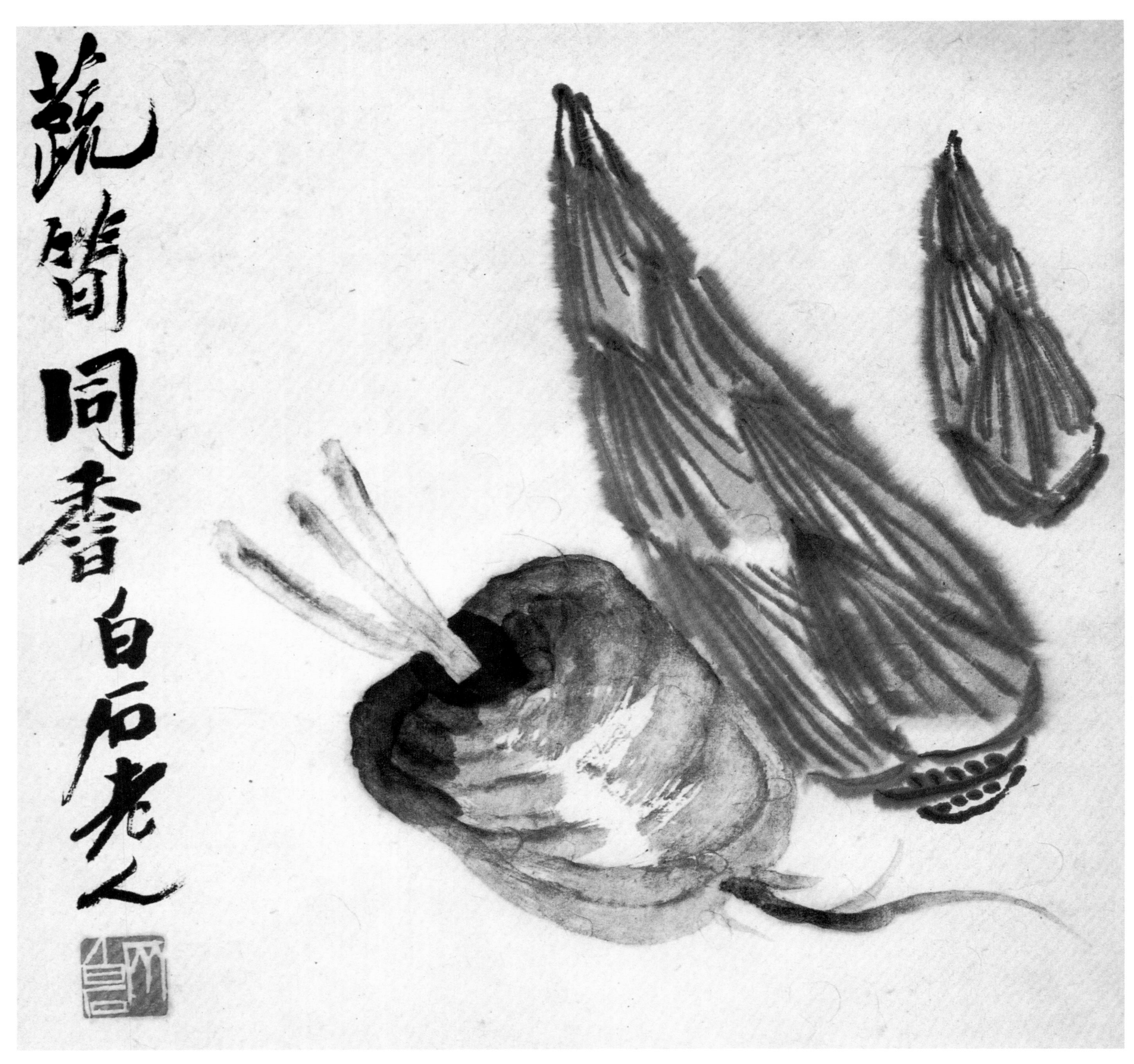

一五五　蘿蔔竹笋（蔬果册之六）　一九五二年　縱三四厘米　横三四厘米

一五六　櫻桃（蔬果册之七）一九五二年　縱三四厘米　横三四厘米

一五七　玉米（蔬果册之八）　一九五二年　縱三四厘米　横三四厘米

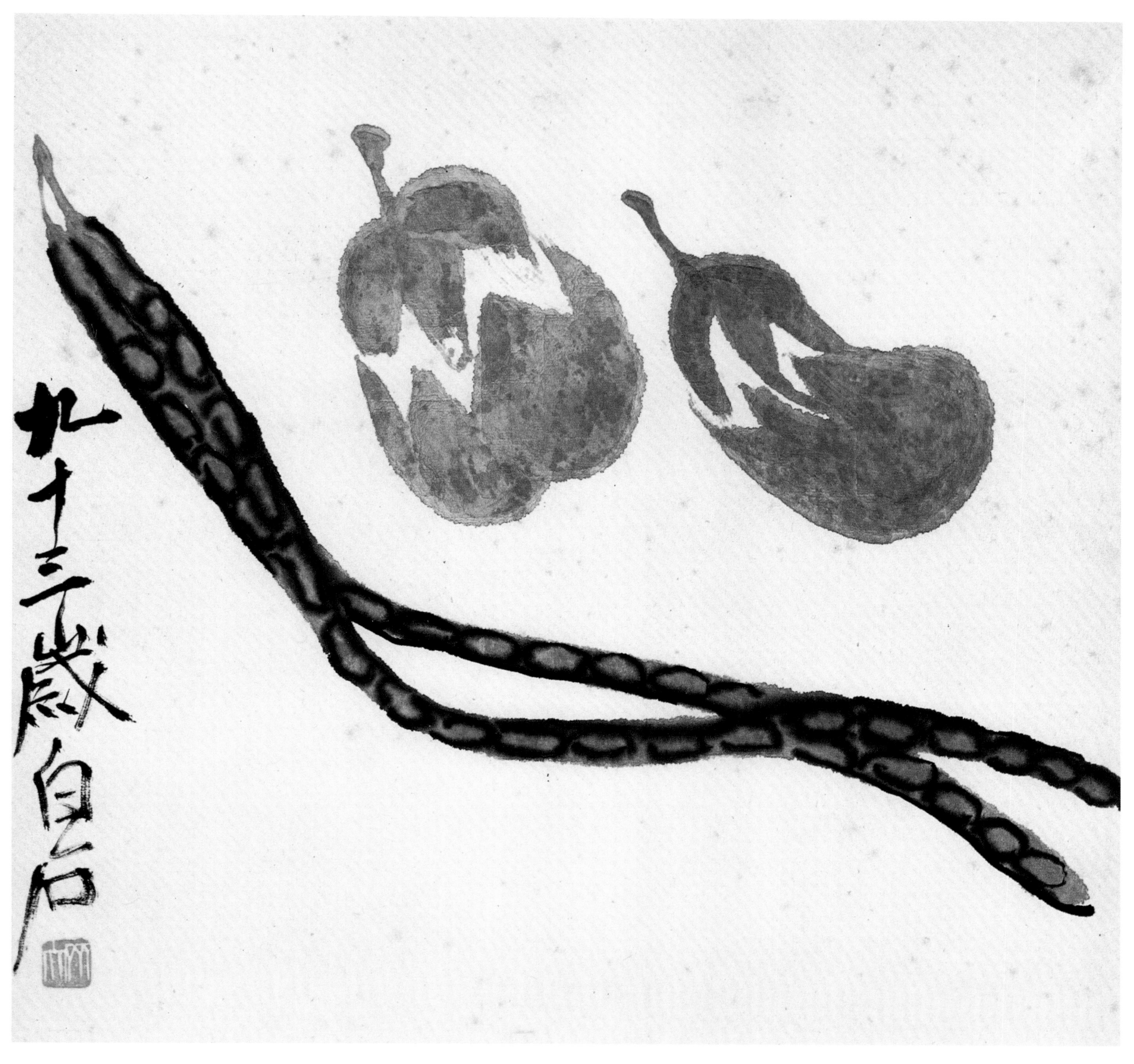

一五八　茄子豆荚（蔬果册之九）　一九五二年　縱三四厘米　横三四厘米

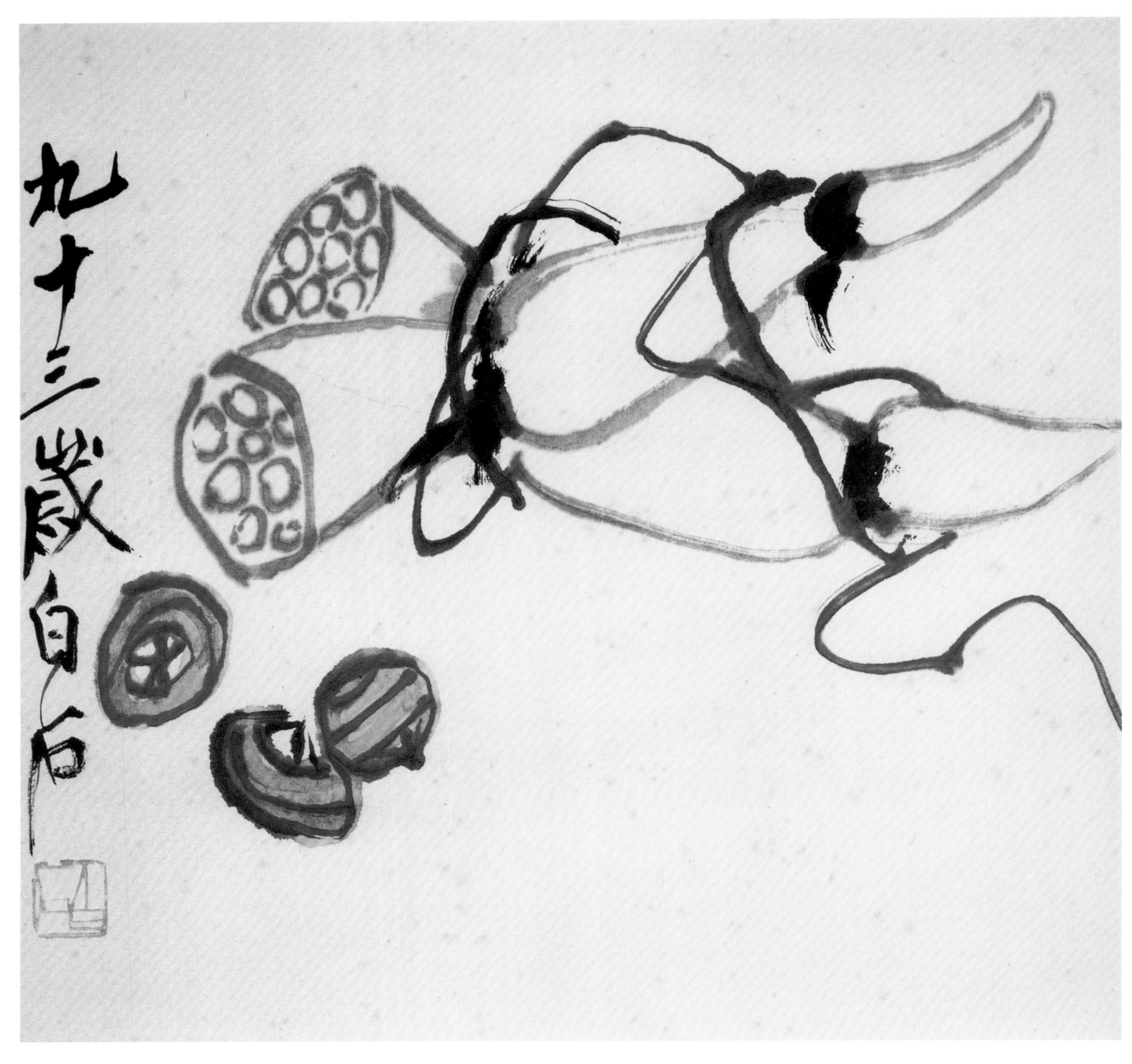

一五九　蓮藕荸薺（蔬果册之十）　一九五二年　縱三四厘米　橫三四厘米

一六〇　枇杷（蔬果册之十一）　一九五二年　縱三四厘米　橫三四厘米

一六一　白菜辣椒（蔬果册之十二）一九五二年　縱三四厘米　橫三四厘米

一六二　荷塘鴨趣（册頁）約五十年代初期　縱五二厘米　横四七厘米

一六三　八哥能言　（册頁）　約五十年代初期　縱三七厘米　横三三厘米

一六四　秋色佳（册頁）　約五十年代初期　縱三三厘米　横二六·五厘米

一六五　三千年（册頁）一九五三年　縱三五厘米　横四八厘米

一六六　老少年（册頁）一九五三年　縱三三厘米　横三三厘米

一六七　枇杷（册頁）一九五三年　縱三三厘米　横三三厘米

一六八　秋瓜秋蟲（册頁）一九五三年　縱二二厘米　橫二八厘米

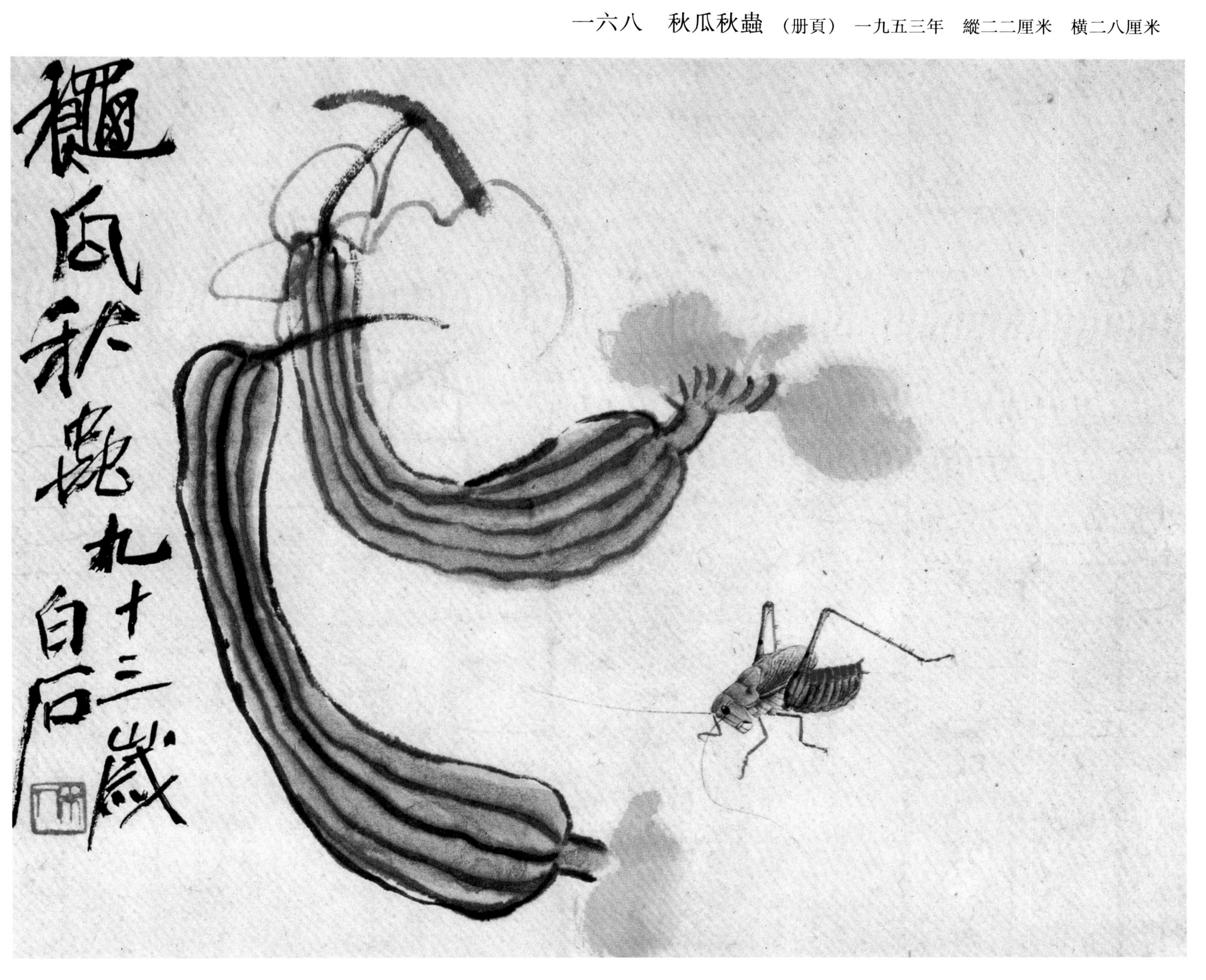

一六九　紅菊（册頁）　一九五三年　縱三〇厘米　横三三厘米

一七〇　牽牛（册頁）一九五三年　縱三三厘米　橫三二厘米

一七一

延年　一九五三年　縱一三〇厘米　橫六六厘米

一七二　和平　一九五三年　縱一六七厘米　横五四厘米

一七三　黄梅八哥

一九五三年　縱一三七厘米　横三五厘米

黄梅八哥（局部）

九十三

一七四　慶祝國慶　一九五三年　縱六七厘米　橫四九厘米

一七五　長年　一九五三年　縱一〇五·二厘米　横三四·五厘米

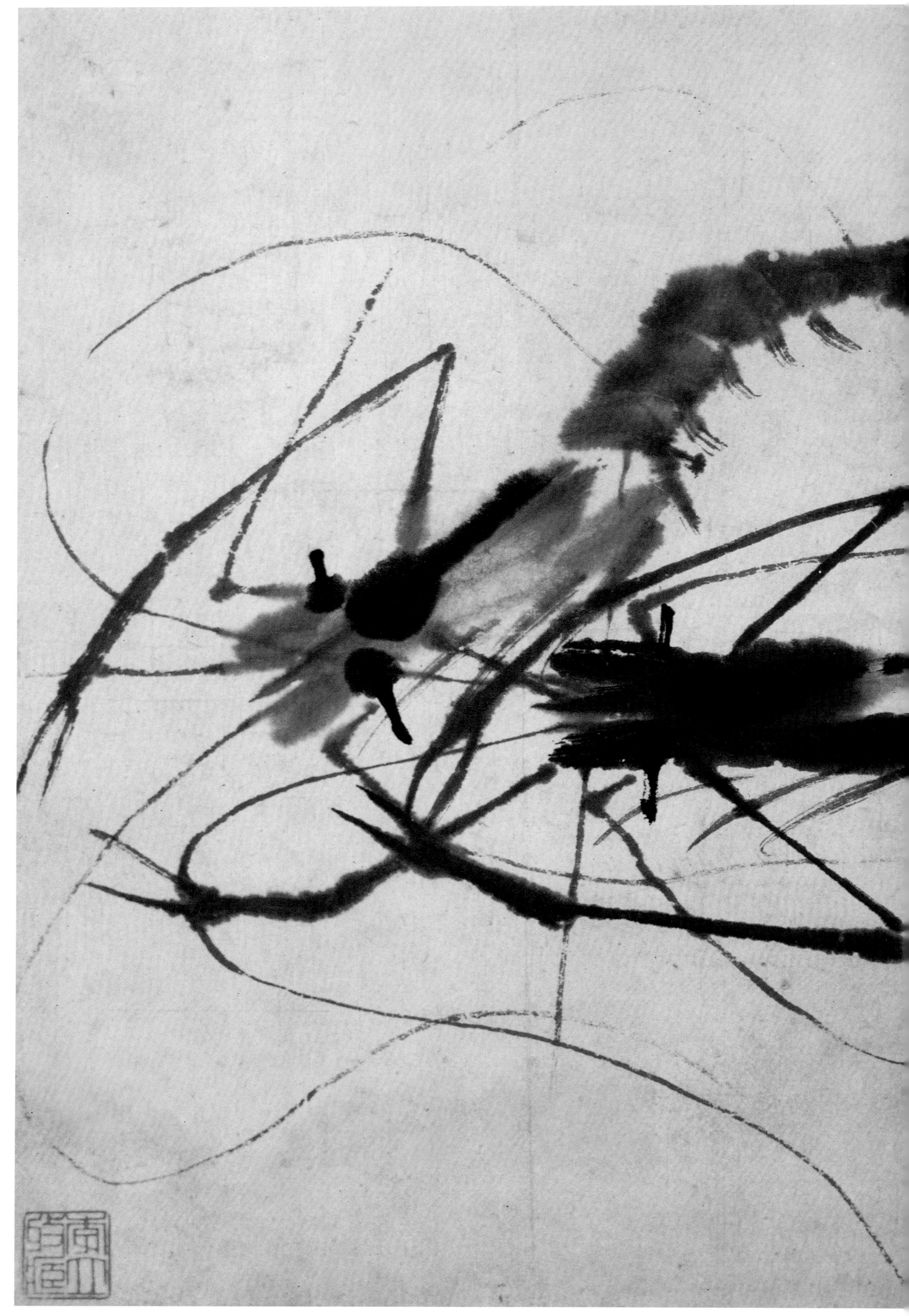

一七六　蝦　一九五三年　縱三二厘米　橫三五·五厘米

一七七 荷花鴛鴦 一九五三年 縱一三七厘米 橫四九厘米

一七八　絲瓜　一九五三年　縱一〇二・五厘米　横三四・五厘米

一七九　紫藤

一九五三年　縱一〇四厘米　橫三二·五厘米

一八〇　秋荷　一九五三年　縱一一六厘米　橫三〇厘米

一八一　老少年·喜鵲　一九五三年　縱一〇二·三厘米　橫三四厘米

老少年·喜鵲（局部）

九十三白石

一八二　荷花鴛鴦　一九五三年　縱三五厘米　橫六八厘米

一八三　松鷹圖　一九五三年　縱三〇七·八厘米　横六一·六厘米

松鷹圖（局部）

東北美術專科学校存九十三歲

一八四 鴿子荔枝 一九五三年 縱九八厘米 橫三三厘米

一八五　平安多利　一九五三年　縱一〇一厘米　横三四厘米

一八六　柳蔭公鷄

一九五三年　縱一二六厘米　横五四厘米

一八七　教子圖　一九五三年　縱一五一·五厘米　橫六四厘米

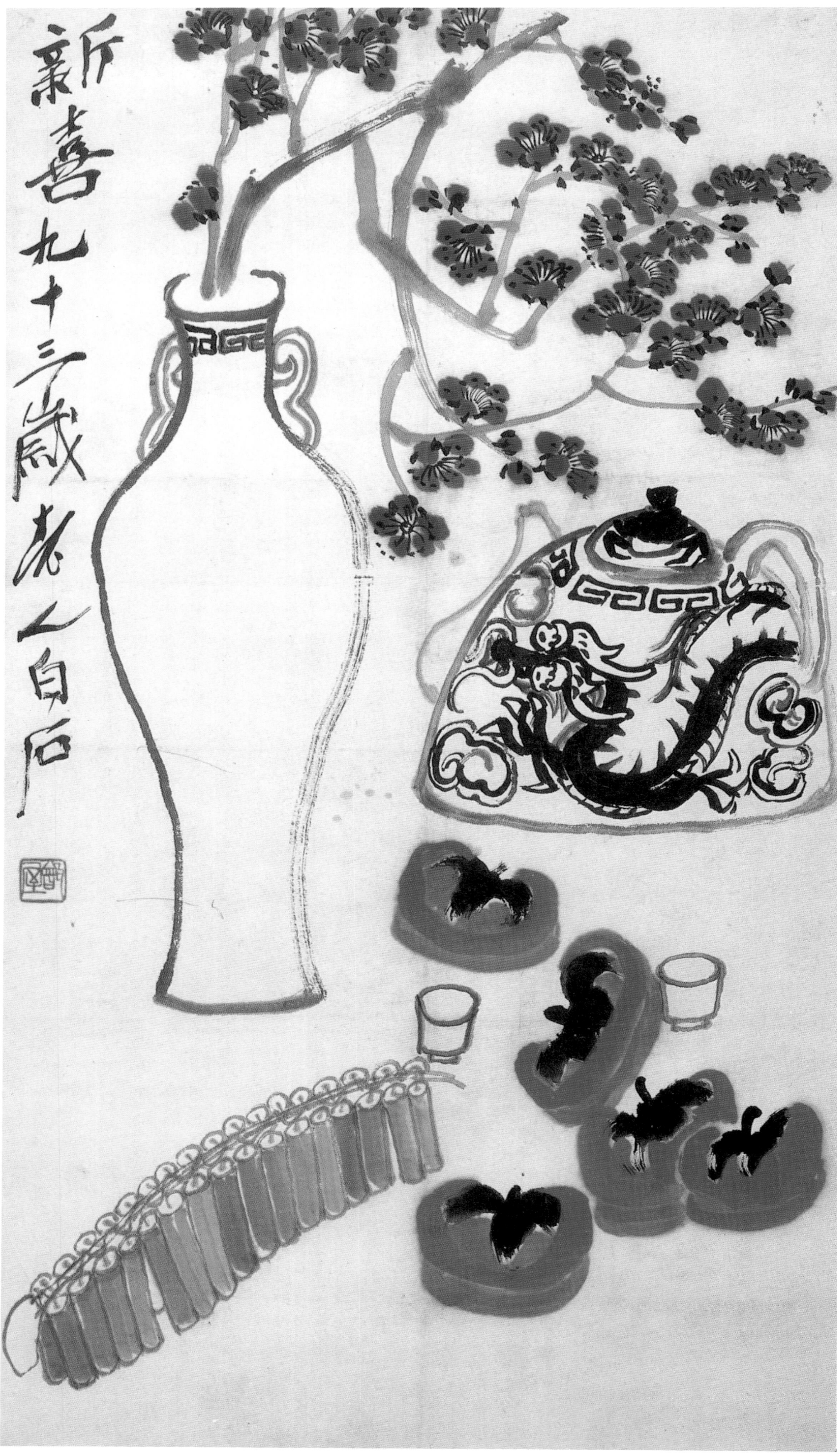

一八八　新喜　一九五三年　縱八三厘米　橫四五厘米

一八九　松鶴圖　一九五三年　縱一三五・五厘米　横六三厘米

一九〇　不倒翁　（册頁）　一九五三年　縱三〇·八厘米　橫二二厘米

一九一　不倒翁　一九五三年　縱一一九厘米　橫四一·四厘米

一九二　九雛圖　一九五三年　縱七二厘米　橫三三·五厘米

九雛圖（局部）

一九三　蘭花麻雀　一九五三年　縱一〇二·七厘米　橫三三·八厘米

蘭花麻雀　（局部）

一九四　兩部蛙聲當鼓吹

一九五三年　縱一〇四·五厘米　横三四厘米

一九五　青蛙　一九五三年　縱一〇五厘米　橫三四厘米

一九六　魚　一九五三年　縱九五厘米　横三二厘米

一九七　入室亦聞香　一九五三年　縱九四厘米　橫四五厘米

一九八　蔬菜圖　一九五三年　縱一〇一·七厘米　橫三四·三厘米

一九九　雙桃（扇面）一九五三年　縱一九厘米　橫五〇厘米

二〇〇 蚱蜢稻穗 一九二〇—一九五三年 縱六八·三厘米 橫三三·四厘米

蚱蜢稻穗（局部）

二〇一　蟹　一九五三年　縱一〇四·二厘米　橫三四·五厘米

蟹（局部）

白石

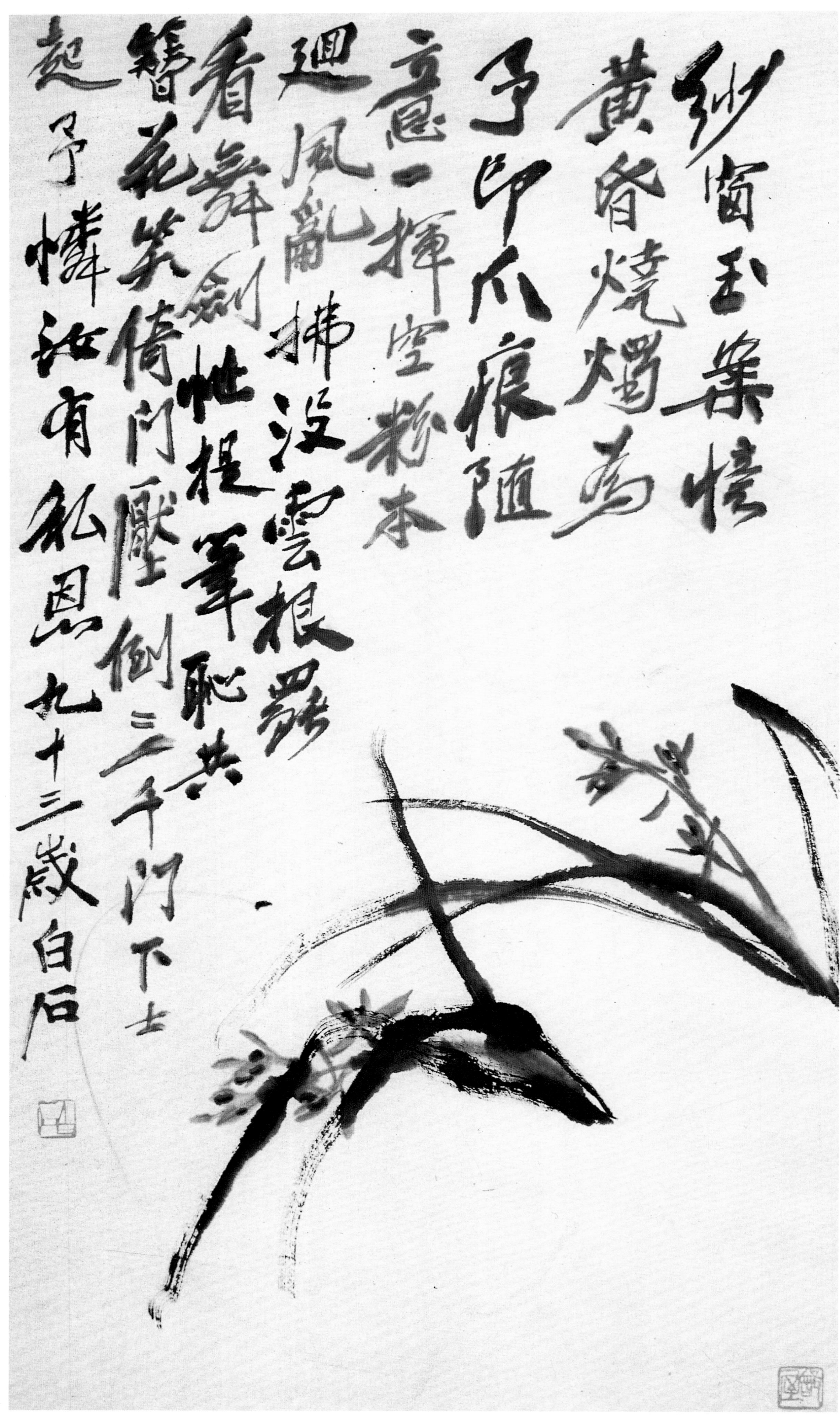

二〇二　墨蘭　一九五三年　縱一〇四厘米　橫四八厘米

二〇三　紅梅花瓶　一九五三年　縱一〇〇厘米　橫三三厘米

二〇四　南瓜　一九五三年　縱一〇三厘米　橫三四厘米

二〇五　鷄冠花　一九五三年　縱七九·八厘米　橫四八·一厘米

二〇六　祖國頌　一九五四年　縱二一六厘米　橫六八厘米

二〇七　松鶴圖　一九五四年　縱二九〇·五厘米　橫七〇厘米

二〇八　海棠　一九五四年　縱一〇三·五厘米　橫三四·五厘米

二〇九　荷花水鴨

一九五四年　縱一〇六·五厘米　橫五二厘米

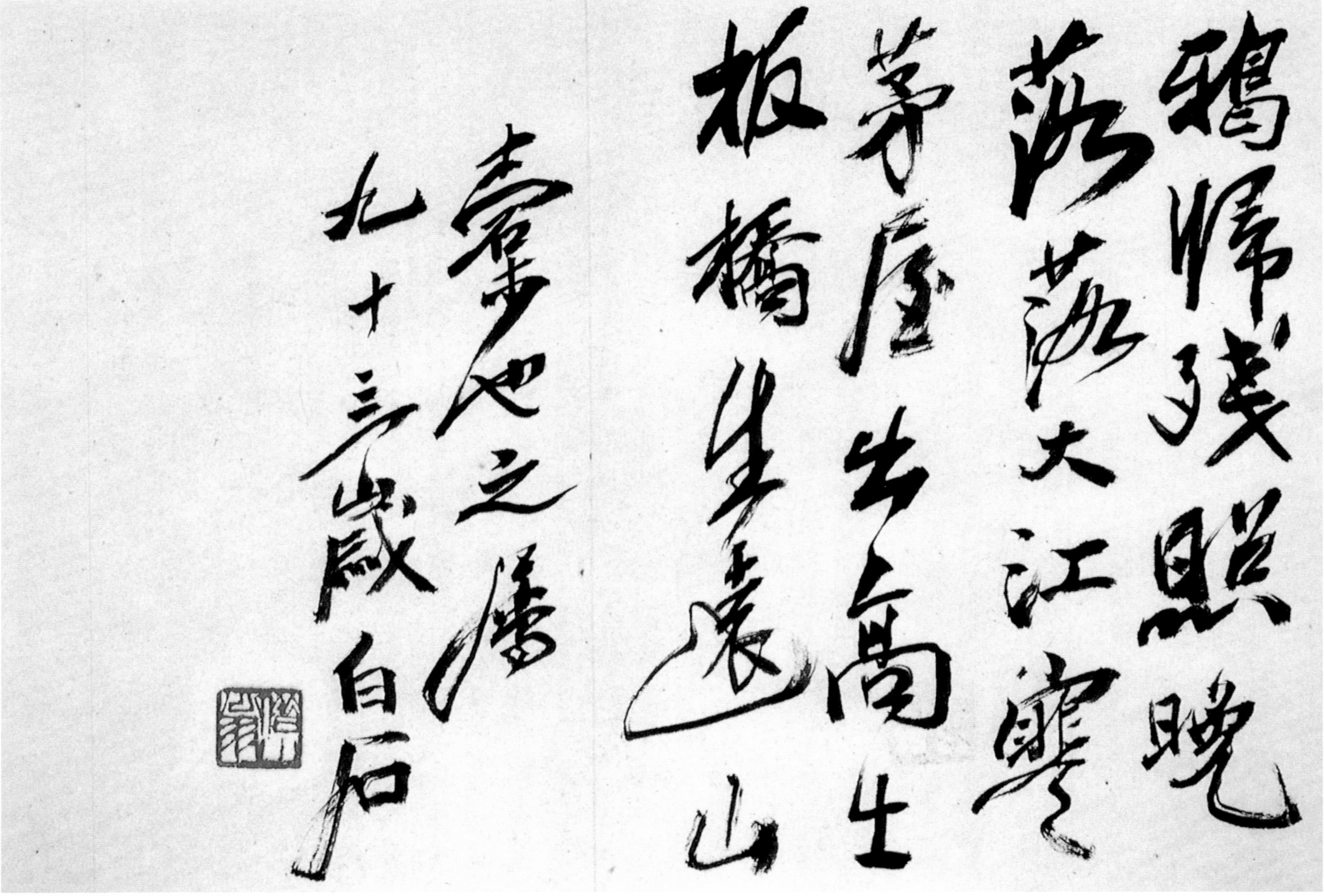

二一〇　鴉歸殘照晚（册頁）一九五四年　縱二四厘米　横三四·五厘米

二一一　青蛙　一九五四年　縱六六厘米　橫三二厘米

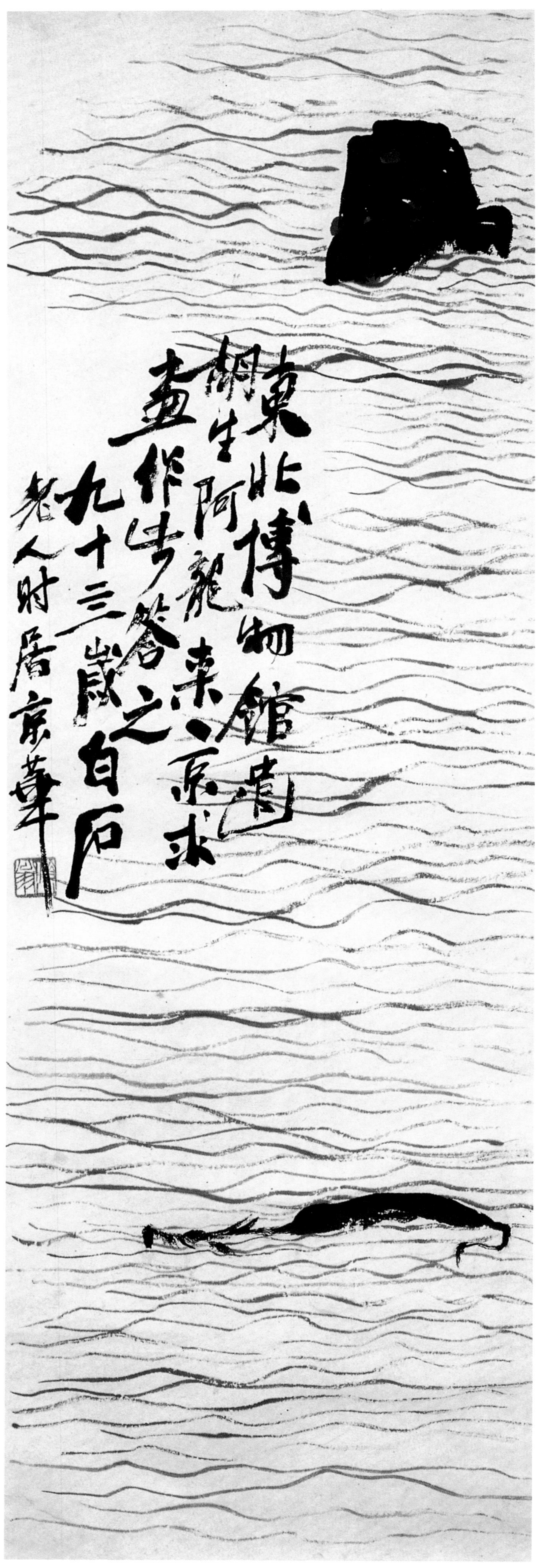

二一二 烟波 一九五四年 縱一〇二厘米 橫三四厘米

二一三 荷塘雙鴨圖 一九五四年 縱一〇〇·八厘米 橫三三厘米

二一四 多壽

一九五四年 縱一〇四厘米 横三四厘米

二一五　菊花雙鴿　一九五四年　縱九二厘米　橫二八厘米

二一六　菊蟹　一九五四年　縱一三六·五厘米　橫三四厘米

二一七　梅鵲圖　一九五四年　縱一〇二·五厘米　横三三·五厘米

二一八　鷄冠花·蜜蜂（册頁）一九五四年　縱三三·二厘米　横三三·九厘米

二一九　葡萄（册頁）一九五四年　縱三三厘米　横三三厘米

二二〇　蘿蔔松菌　（草蟲雜畫册之一）　一九五四年　縱三二厘米　橫三三厘米

二二一　蝴蝶鷄冠花（草蟲雜畫册之二）一九五四年　縱三二厘米　横三三厘米

二二二　荷花蜻蜓（草蟲雜畫冊之三）一九五四年　縱三二厘米　橫三三厘米

二二三　蓼花（草蟲雜畫册之四）一九五四年　縱三二厘米　横三三厘米

二二四　花蝶蝴蝶蘭（草蟲雜畫册之五）一九五四年　縱三二厘米　横三三厘米

二二五　燈蛾（草蟲雜畫册之六）　一九五四年　縱三二厘米　横三三厘米

二二六　稻穗螳螂（草蟲雜畫册之七）一九五四年　縱三二厘米　橫三三厘米

二二七　楓葉蟬　(草蟲雜畫册之八)　一九五四年　縱三二厘米　橫三三厘米

二二八　**蘭花蚱蜢**（草蟲雜書册之九）　一九五四年　縱三二厘米　橫三三厘米

二二九　蛙（册頁）　一九五四年　縱四二厘米　横二四厘米

二三〇　折枝花卉卷　一九五四年　縱四六厘米　橫三九六厘米

折枝花卉卷 （局部之一）

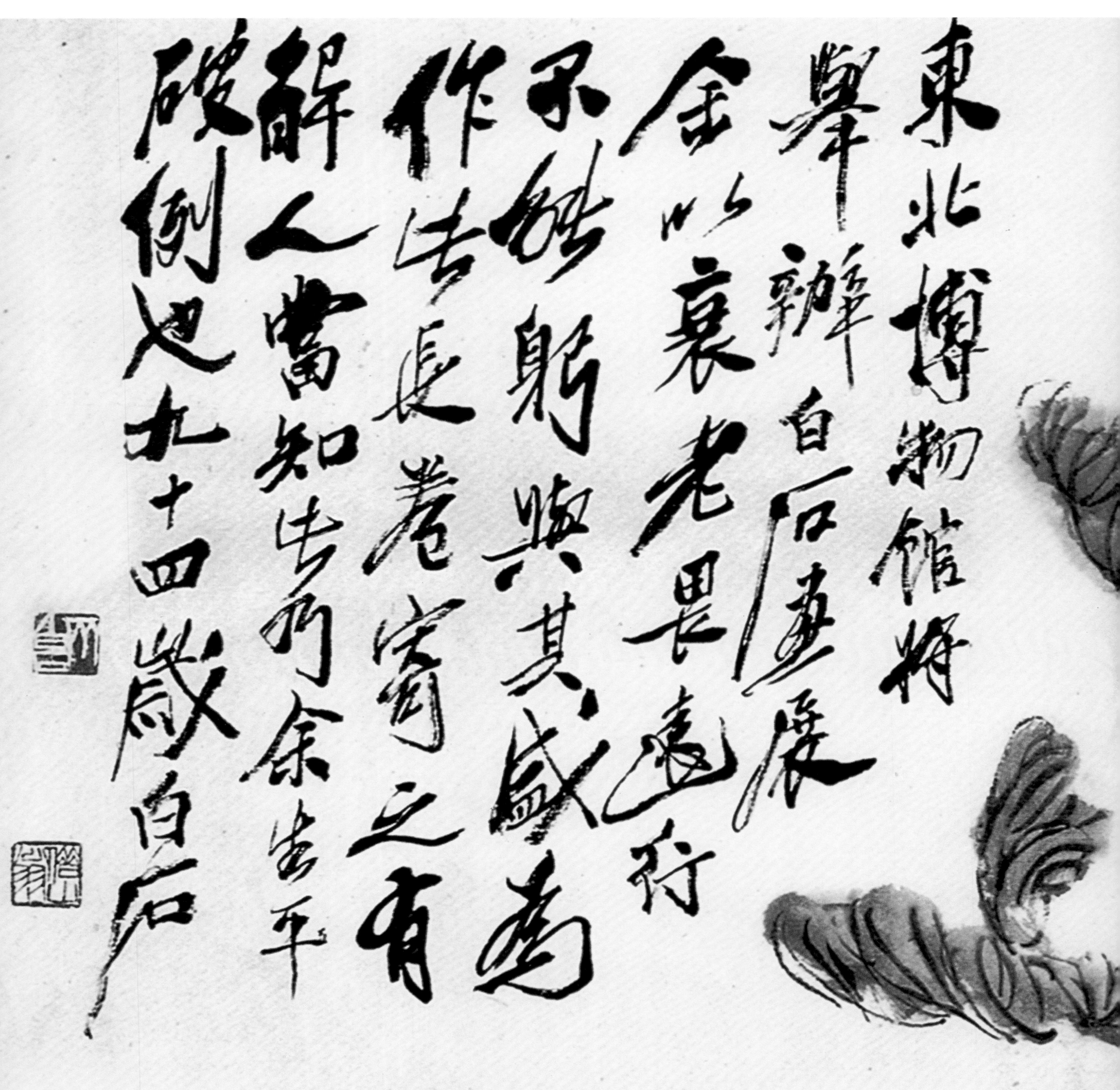

折枝花卉卷 （局部之二）

折枝花卉卷（局部之三）

折枝花卉卷 （局部之四）

二三一　松帆圖　約五十年代中期　縱九七厘米　橫五〇厘米

二三三二　蝦（册頁）　一九五四年　縱三八厘米　橫二四厘米

二三三 牡丹蜜蜂 一九五四年 縱一〇九·三厘米 橫四七·四厘米

二三四　紫藤蜜蜂　一九五四年　縱七三厘米　橫二五厘米

九十三歲白石

二三三五　棕櫚八哥　一九五四年　縱一三七厘米　橫三四厘米

二三六　牽牛花　一九五四年　縱一二〇・五厘米　橫三〇厘米

二三七　荷花（花果册之一）一九五五年　縱二七厘米　橫三四厘米

二三八　荔枝（花果册之二）一九五五年　縱二七厘米　横三四厘米

二三九　葫蘆（花果册之三）　一九五五年　縱二七厘米　橫三四厘米

二四〇　牽牛花（花果册之四）　一九五五年　縱二七厘米　横三四厘米

二四一　蘭花（花果册之五）　一九五五年　縱二七厘米　橫三四厘米

二四二　紅梅（花果册之六）一九五五年　縱二七厘米　横三四厘米

二四三　牽牛花（册頁）一九五五年　縱三一厘米　橫四五厘米

二四四　萬年青　（册頁）　一九五五年　縱三一厘米　橫四五厘米

二四五　游鴨圖　一九五五年　縱一三六厘米　橫三四·五厘米

游鴨圖（局部）

二四六　葡萄（册頁）一九五五年　縱二八厘米　横二八厘米

二四七　荷花鴛鴦　一九五五年　縱一三七・七厘米　橫六七・八厘米

二四八　老少年

一九五五年　縱一〇三厘米　横三四厘米

二四九　老來紅　一九五五年　縱七二・五厘米　橫四〇厘米

二五〇 牽牛花

一九五五年 縱九七厘米 橫三四厘米

二五一　牽牛花　一九五五年　縱六八厘米　横三四厘米

九十五歲白石

二五二　葡萄　一九五五年　縱一〇四厘米　橫三四·八厘米

二五三　絲瓜雙鴉　一九五五年　縱一六九厘米　橫五三厘米

二五四　八哥老松

一九五五年　縱一〇二厘米　横三四厘米

二五五　喜見慈祥　一九五五年　縱一三三·二厘米　橫六六·九厘米

二五六　蘆蟹圖　一九五五年　縱六四・五厘米　橫三五厘米

二五七　雙魚圖　一九五五年　縱七八厘米　橫四四·五厘米

二五八　枯樹歸鴉

約五十年代中期　縱一〇二厘米　橫二七・五厘米

二五九　菊花　一九五五年　縱一三六厘米　橫三四厘米

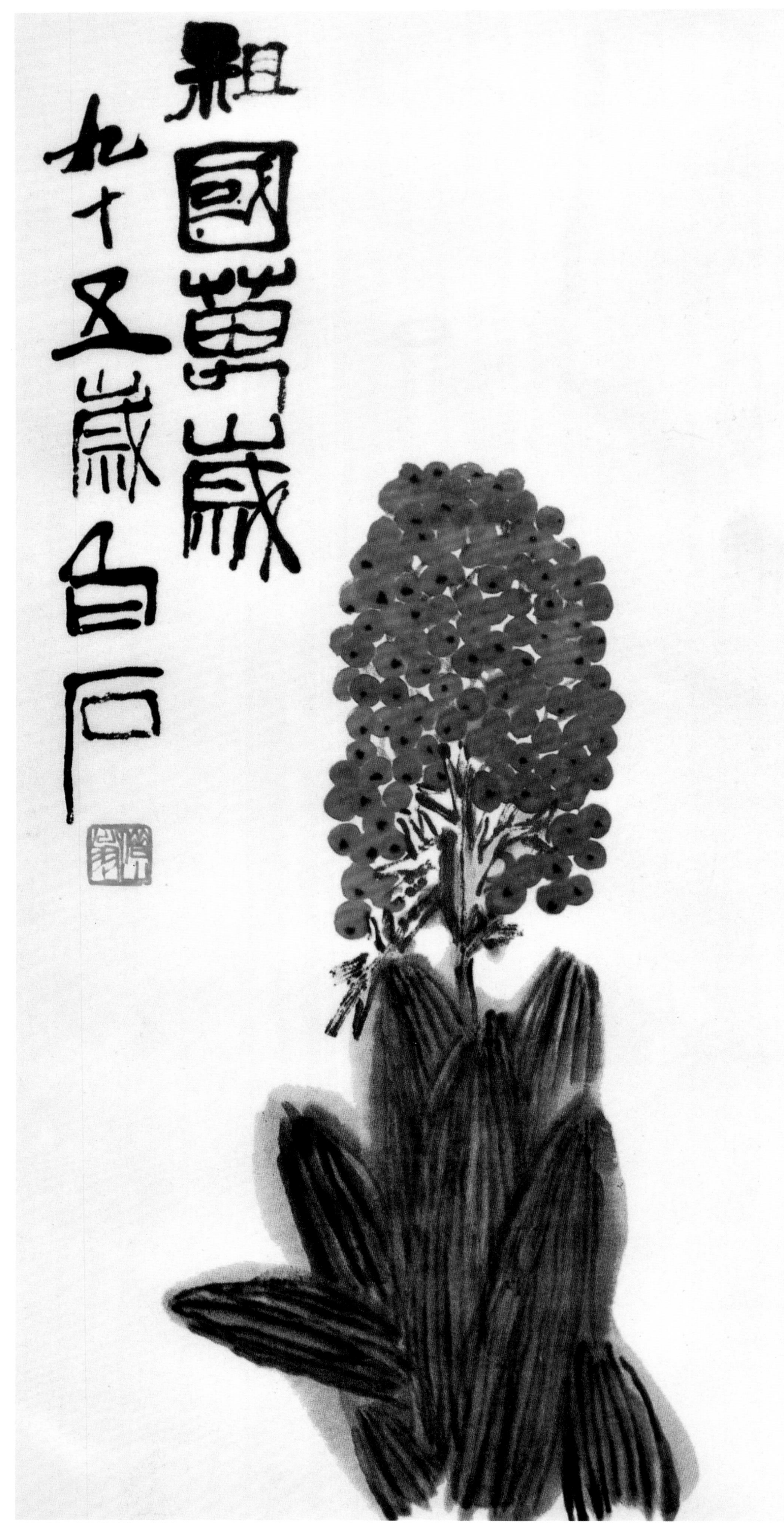

二六〇　祖國萬歲　一九五五年　縱六三厘米　橫三〇厘米

二六一　萬年青　一九五五年　縱六六厘米　橫二八厘米

二六二　芙蓉游鴨　一九五六年　縱一三五·二厘米　横三四·四厘米

芙蓉游鴨（局部）

二六三　荷　一九五六年　縱七〇厘米　横三二·五厘米

二六四　絲瓜　一九五六年　縱一二六厘米　橫四一·五厘米

二六五　葫蘆　一九五六年　縱六八厘米　橫三三·五厘米

二六六　紫藤　一九五六年　縱一〇八厘米　橫三四厘米

九十六歲白石

二六七　櫻桃　一九五六年　縱一〇〇厘米　横三四厘米

九十六歲白石

二六八　茶花　一九五六年　縱一〇〇・六厘米　橫三三・四厘米

二六九　紅梅　一九五六年　縱一〇一厘米　横四七厘米

二七〇　梅　一九五六年　縱一〇五厘米　橫三五厘米

二七一 紅梅 一九五六年 縱一〇〇・六厘米 横三三・四厘米

九十六歲白石老人一揮

二七二　魚　一九五六年　縱六〇厘米　橫四〇厘米

二七三　雙蟹　一九五六年　縱四〇厘米　横四二厘米

二七四　牡丹　一九五六年　縱三四·五厘米　橫三八厘米

二七五 牡丹 一九五六年 縱四五·五厘米 橫三三厘米

九十六歲白石

二七六　牡丹　一九五六年　縱四五·五厘米　橫三三厘米

二七七　魚

一九五七年　縱八〇厘米　橫三四厘米

二七八　牽牛花　一九五七年　縱七二厘米　橫三四厘米

二七九　葫蘆　一九五七年　縱一〇六厘米　橫三五厘米

二八〇 胡蘿蔔豆莢 一九五七年 縱六四・八厘米 橫三三・三厘米

二八一　鷄冠花　約一九五七年　縱六八・五厘米　橫三三厘米

二八二 牡丹 一九五七年 縱一〇三厘米 橫三三·三厘米

二八三　牡丹　一九五七年　縱八二·二厘米　橫三三·二厘米

二八四　牡丹（册頁）約一九五七年　縱三四厘米　横三三·五厘米

二八五　牡丹　一九五七年　縱六五厘米　橫三五厘米

牡丹（局部）

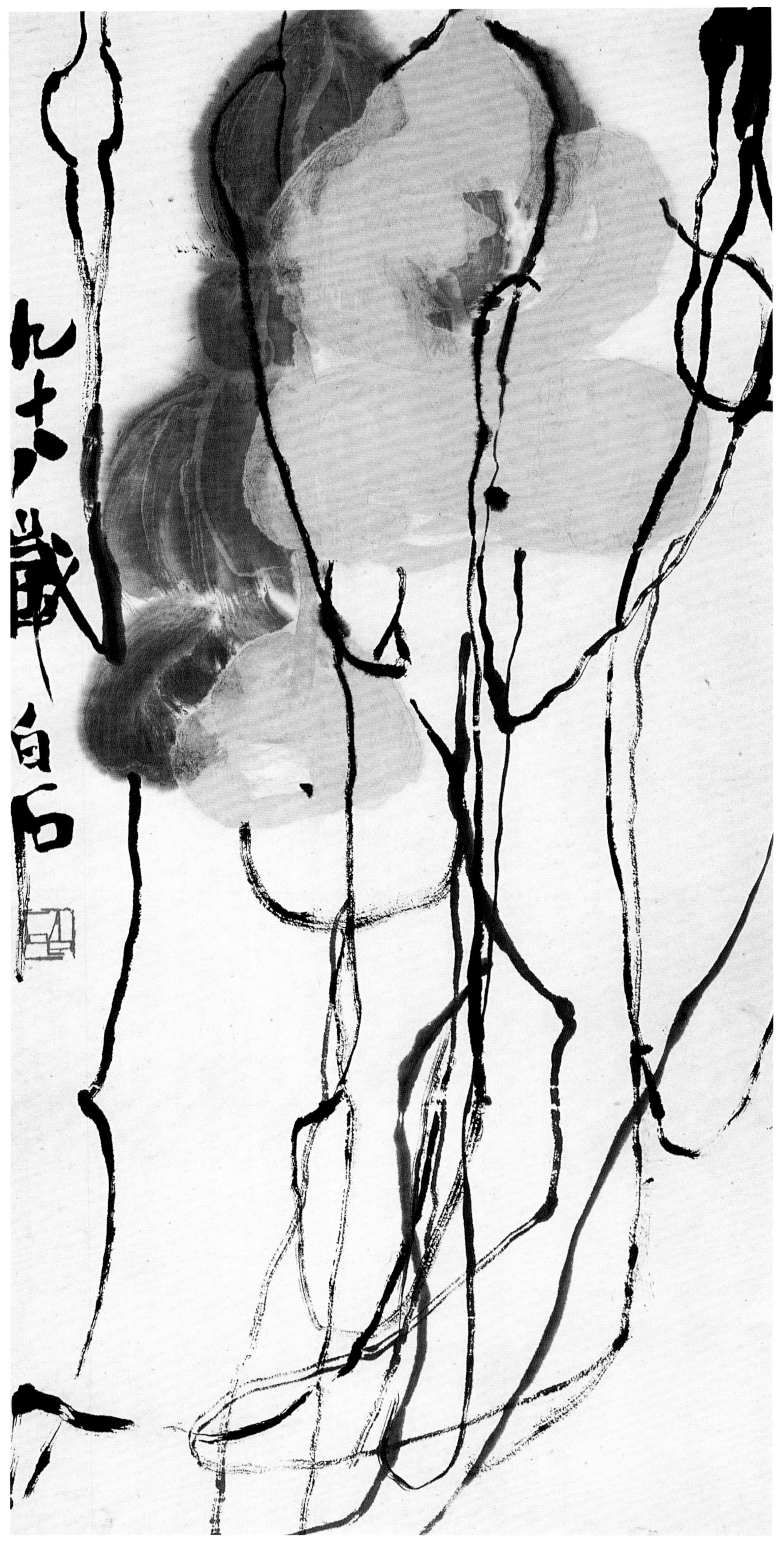

二八六　葫蘆　一九五七年　縱六〇・五厘米　橫二八・五厘米

二八七　牡丹　一九五七年　縱六八厘米　橫三三・八厘米

二八八　牡丹　一九五七年　縱一〇五厘米　橫三五厘米

著録·注釋

繪畫

1949—1957

1. 古樹歸鴉圖

立軸

紙本水墨設色

138×48cm

1949 年

款題：

八哥解語偏嘵(饒)舌。

鸚鵡能言有是非。

省却人間煩惱事。

斜陽古樹數鴉歸。

伯安先生清屬。

己丑。八十九白石。

印章：

白石(朱文)

行高于人衆必非之(朱文)

收藏：

北京畫院

2. 山水鶺鴒

立軸

紙本水墨設色

97×38.5cm

1949 年

款題：

亂塗幾筆樹。遠望似有理。鶺鴒人不識。老翁且自喜。己丑。八十九歲白石老人。

印章：

齊白石(白文)

收藏：

中國展覽交流中心

著録：

《齊白石繪畫精萃》第 200 圖，秦公、少楷主编，吉林美術出版社，1994 年，長春。

3. 柳牛圖

立軸

紙本水墨

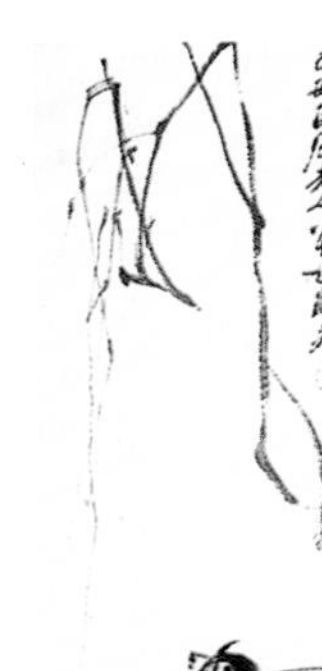

104×35.5cm

1949 年

款題：

己丑。白石老人八十九歲矣。

印章：

白石(朱文)

收藏：

北京榮寶齋

著録：

《齊白石畫集》第 116 圖，嚴欣强、金岩編，外文出版社，1991 年，北京。

4. 桂花玉兔

立軸

紙本水墨設色

113×34cm

1949 年

款題：

己丑。八十九歲白石老人。

印章：

齊白石(白文)

吾所能者樂事(朱文)

收藏：

遼寧省博物館

著録：

《齊白石畫集》第 46 圖，遼寧省博物館編，遼寧美術出版社，1961 年，瀋陽。

5. 枇杷雙鷄

立軸

紙本水墨設色

133×35.5cm

1949 年

款題：

恭三先生清屬，己丑秋初畫于京華。八十九歲老人白石久不作。一日興高畫。

印章：

年八十九(白文)

白石(朱文)

收藏：

北京市文物公司

著録：

《齊白石繪畫精萃》第 160 圖，秦公、少楷主编，吉林美術出版社，1994 年，長春。

6. 雛鷄

立軸

紙本水墨

111×34.8cm

1949 年

款題：

白石老人八十九歲畫。

印章：

年八十九(白文)

白石(朱文)

收藏：

北京市文物公司

著録：

《齊白石繪畫精萃》第 191 圖，秦公、少楷主编，吉林美術出版社，1994 年，長春。

7. 籠鳩圖

立軸

紙本水墨設色

62×36cm

1949 年

款題：

晴雨可呼乎。予嘗聞汝啼。似是呼晴呼雨。婦可逐乎。禽獸之雄者只有汝也。借山老人八十九。

印章：

白石(朱文)　寄萍堂(白文)

收藏：

私人

著録：

《齊白石作品集・第一集・繪畫》第 161 圖，原題《鳩》，人民美術出版社，1963 年，北京。

《齊白石繪畫精品集》第 110 頁，人民美術出版社，1991 年，北京。

8. 群蝦

立軸

紙本水墨設色

138.5×41cm

1949 年

款題：

八十九歲白石老人。

印章：

年八十九(白文)

借山翁(朱文)

收藏：

中國美術館

著録：

《齊白石作品集》第110圖，董玉龍主編，天津人民美術出版社，1990年，天津。

9. 蝦

立軸

紙本水墨

103×34cm

1949年

款題：

錫鈞先生雅屬。八十九歲白石老人夜鐙(燈)。

印章：

白石(朱文)

中華良民也(白文)

收藏：

中央美術學院

10. 游魚

册頁

紙本水墨

21×34cm

1949年

款題：

八十九白石。

印章：

白石老人(白文)

收藏：

中央美術學院

11. 墨蟹

立軸

紙本水墨

76×27.5cm

1949年

款題：

祖光先生清正。八十九歲白石老人畫于京華。

印章：

白石(朱文)

收藏印：祖光藏畫(朱文)

收藏：

吴祖光

12. 白菜蜻蜓

立軸

紙本水墨設色

67.5×33.9cm

1949年

款題：

借山老人八十九歲作。

印章：

齊白石(白文)

收藏：

中國美術館

著録：

《齊白石作品集》第112圖，董玉龍主編，天津人民美術出版社，1990年，天津。

13. 蘿蔔螞蚱

立軸

紙本水墨設色

78×40cm

1949年

款題：

白石老人行年八十九歲矣。

印章：

齊大(朱文)

收藏：

私人

著録：

《齊白石繪畫精品選》第98頁，董玉龍主編，人民美術出版社，1991年，北京。

14. 紅蓼青蛙

立軸

紙本水墨設色

82×37.5cm

1949年

款題：

八十九白石。

印章：

年八十九(白文)

白石(朱文)

收藏：

中央美術學院

15. 紅梅

立軸

紙本水墨設色

99.9×33.6cm

1949年

款題：

己丑。八十九歲白石老人作于京華。

印章：

白石(朱文)

收藏：

中國美術館

16. 松鼠

立軸

紙本水墨設色

90×44cm

1949年

款題：

岳生先生正。八十九歲白石。

印章：

借山老人(白文)

收藏：

天津藝術博物館

17. 菊

立軸

紙本水墨設色

101×34cm

1949年

款題：

八十九歲白石老人。

印章：

木人(朱文)　年八十九(白文)

人長壽(朱文)

收藏印：新會霍氏宗傑鑒藏(朱文)

收藏：

霍宗傑

18. 盆菊草蟲

立軸

紙本水墨設色

102×34cm

1949 年

款題：

團子世姪女玩味。八十九歲白石老人。

印章：

白石(朱文)

人長壽(朱文)

收藏：

湘潭齊白石紀念館

著録：

《齊白石畫集》第 115 圖，嚴欣强、金岩編，外文出版社，1991 年，北京。

19. 多壽圖

立軸

紙本水墨設色

175.6×47.4cm

1949 年

款題：

多壽(篆)。八十九歲白石老人。

印章：

白石(朱文)

人長壽(朱文)

收藏印：東北美專珍藏(朱文)

收藏：

魯迅美術學院

20. 墨蘭

立軸

紙本水墨

102.5×34cm

1949 年

款題：

借山老人行年八十九歲。時在己丑。

印章：

齊白石(白文)

寄萍堂(白文)

收藏：

私人

著録：

《楊永德藏齊白石書畫》，中國嘉德'95 秋季拍賣會圖録第 248 號，1995 年，北京。

21. 蜻蜓雁來紅

立軸

紙本水墨設色

88.6×30cm

1949 年

款題：

己丑。八十九歲白石老人。

印章：

白石(朱文)

收藏：

北京市文物公司

著録：

《齊白石繪畫精萃》第 125 圖，秦公、少楷主編，吉林美術出版社，1994 年，長春。

22. 誰謂秋花無佳色

立軸

紙本水墨設色

100.5×34cm

1949 年

款題：

誰謂秋花無佳色。己丑。八十九歲白石老人。

印章：

白石(朱文)

君子之量容人(朱文)

吾所能者樂事(朱文)

收藏：

北京市文物公司

著録：

《齊白石繪畫精萃》第 82 圖，原題《海棠》，秦公、少楷主編，吉林美術出版社，1994 年，長春。

23. 海棠花

立軸

紙本水墨設色

105×34.4cm

1949 年

款題：

八十九歲白石畫。

印章：

老齊(朱文)

寄萍堂(白文)

收藏：

中國美術館

24. 瓜菜半年糧

立軸

紙本水墨設色

94.6×32cm

1949 年

款題：

須知瓜菜半年糧。八十九歲白石。

印章：

借山老人(白文)

最工者愁(白文)

收藏：

北京市文物公司

著録：

《齊白石繪畫精萃》第 184 圖，秦公、少楷主編，吉林美術出版社，1994 年，長春。

25. 螃蟹

立軸

紙本水墨

90×29cm

1949 年

款題：

處處草泥鄉。

行到何方好。

去年見君多。

今年見君少。

八十九歲題舊句。白石老人。

印章：

白石(朱文)　齊大(白文)

收藏：

南京博物院

26. 農具

立軸

紙本水墨設色

131×41cm

1949 年

款題：

己丑。八十九歲杏子塢老民一揮。到老益貧誰似我。此翁真是(把)負鋤人。白石老人再題十四字。

印章：

借山翁(朱文)

杏子塢民(白文)

收藏：

徐悲鴻紀念館

27. 佛手·菊花

立軸

紙本水墨設色

99×33.5cm

1949 年

款題：

八十九歲老人白石畫。

印章：

白石(朱文)

收藏：

中國展覽交流中心

28. 松鷹圖

立軸

紙本水墨設色

120×40cm

1949 年

款題：

白石老人八十九歲。行年九十歲矣。己丑。

印章：

白石(朱文)

收藏：

私人

著録：

《齊白石繪畫精品集》第 111 頁，人民美術出版社，1991 年，北京。

29. 雙喜

立軸

紙本水墨設色

154×42cm

1949 年

款題：

雙喜。白石老人作。

印章：

木人(朱文)　白石(朱文)

寄萍堂(白文)

收藏：

遼寧省博物館

30. 松鷹圖

立軸

紙本水墨

135×52.5cm

1950 年

款題：

九十歲白石。

印章：

白石 (朱文)

借山老人(白文)

收藏：

北京市文物公司

31. 蟹

立軸

紙本水墨

98×32cm

1950 年

款題：

寄萍堂上老人齊白石年近九十之作。

印章：

齊白石(白文)

收藏：

私人

著録：

《齊白石畫海外藏珍》第 126 圖，王大山主編，榮寶齋(香港)有限公司，1994 年，香港。

32. 蝦群

立軸

紙本水墨

105×35cm

1950 年

款題：

白石九十歲製。

印章：

白石(朱文)

大匠之門(白文)

收藏印：新會霍氏宗傑鑒藏(朱文)

收藏：

霍宗傑

33. 君壽千年

立軸

紙本水墨設色

137.1×34cm

1950 年

款題：

君壽千年(篆)。九十老人白石製。

印章：

白石(朱文)

借山翁(朱文)

寄萍堂(白文)

收藏：

中國美術館

34. 多壽

立軸

紙本水墨設色

134.2×33.9cm

1950 年

款題：

多壽(篆)。三百石印富翁齊璜。

外孫女熊悠悠三歲時。外祖年九十矣。

印章：

齊大(朱文)

收藏：

中國美術館

著録：

《齊白石作品集》第 113 圖，董玉龍主編，天津人民美術出版社，1990 年，天津。

35. 長壽

立軸

紙本水墨設色

144×36cm

1950 年

款題：

長壽(篆)。九十歲老人白石。

印章：

白石(朱文)

大匠之門(白文)

收藏：

私人

著録：

《齊白石畫集》第 120 圖，嚴欣强、金岩編，外文出版社，1991 年，北京。

36. 雙壽圖

立軸

紙本水墨設色

60×30cm

1950 年

款題：

雙壽（篆）。

冷庵仁兄伉儷。

九十歲白石。

印章：

白石（朱文）

齊大（白文）　寄萍堂（白文）

人長壽（朱文）

收藏：

私人

著録：

《齊白石繪畫精品集》第 112 頁，人民美術出版社，1991 年，北京。

37. 大利

立軸

紙本水墨設色

68×34.5cm

約 1950 年

款題：

大利（篆）。三百石印富翁點色。

印章：

齊大（朱文）

收藏：

北京市文物公司

38. 藤蘿蜜蜂

立軸

紙本水墨設色

146×43.5cm

1950 年

款題：

伯鈞先生清屬。庚寅。九十歲齊白石製。

印章：

借山翁（朱文）

齊白石（白文）

收藏：

北京市文物公司

著録：

《齊白石繪畫精萃》第 161 圖，秦公、少楷主編，吉林美術出版社，1994年，長春。

39. 菊花

立軸

紙本水墨設色

136×33cm

1950 年

款題：

庚寅。九十歲白石老人一揮。

印章：

齊白石（白文）

最工者愁（白文）

收藏印：湖南省博物館藏品章（朱文）

收藏：

湖南省博物館

40. 葡萄

立軸

紙本水墨設色

102×34cm

1950 年

款題：

白石老人九十歲。

印章：

白石翁（朱文）

收藏印：湖南省博物館藏品章（朱文）

收藏：

湖南省博物館

41. 海棠

立軸

紙本水墨設色

95×35cm

1950 年

款題：

白石老人行年九十矣。時庚寅。

印章：

白石（朱文）

寄萍堂（白文）

收藏：

遼寧省博物館

42. 螃蟹

立軸

紙本水墨

69×35cm

1950 年

款題：

大悲先生治麻木。亦可横行。畫此贈之。九十白石。

印章：

白石（朱文）

收藏：

首都博物館

43. 雛鷄草蟲

扇面

紙本水墨設色

20×56cm

1950 年

款題：

庚寅秋九月。三百石印富翁齊白石。行年九十矣。

印章：

白石（朱文）

收藏：

天津人民美術出版社

44. 水族圖

立軸

紙本水墨

138×34.5cm

1950 年

款題：

任潮先生清正。九十歲白石。

印章：

白石（朱文）

人長壽（朱文）

收藏印：李濟深印（白文）

任潮鑒藏金石書畫之章（白文）

收藏：

廣西壯族自治區博物館

45. 耳食圖

立軸

紙本水墨設色

97×36.5cm

1950 年

款題：

九十歲白石老人。

印章：

借山翁（朱文）

大匠之門（白文）

收藏：

廣州市美術館

46. 鼠燭圖

立軸

紙本水墨設色

100×33cm

1950 年

款題：

庚寅。白石老人九十歲矣。

印章：

白石（朱文）

寄萍堂（白文）

收藏：

遼寧省博物館

著録：

《齊白石畫集》第 49 圖，遼寧省博物館編，遼寧美術出版社，1961 年，瀋陽。

47. 南瓜甘芳

立軸

紙本水墨設色

181×64cm

1950 年

款題：

此瓜南方謂為南瓜。其味甘芳。豐年可以作下飯菜。饑年可以作糧米。春來勿忘下種。大家慎之。庚寅。九十歲白石老人并記。

印章：

白石（朱文） 借山翁（朱文）

寄萍堂（白文） 人長壽（朱文）

悔烏堂（朱文）

收藏：

遼寧省博物館

著録：

《齊白石畫集》第 48 圖，遼寧省博物館編，遼寧美術出版社，1961 年，瀋陽。

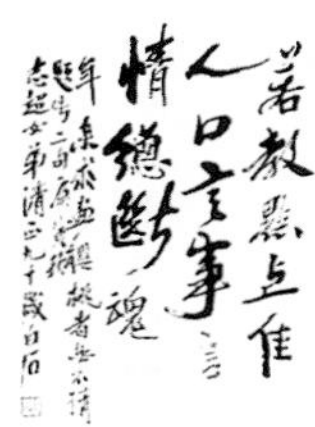

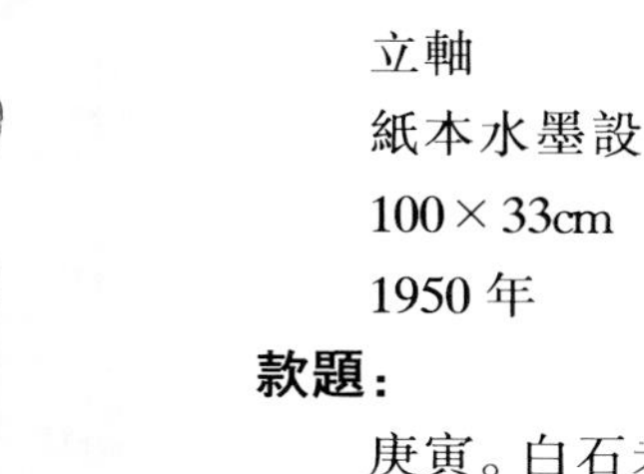

48. 櫻桃

立軸

紙本水墨設色

101.5×33.7cm

1950 年

款題：

若教點上佳人口。言事言情總斷魂。年來求畫櫻桃者。無不請題此二句。庚寅秋。志超女弟清正。九十歲白石。

印章：

白石（朱文） 寄萍堂（白文）

收藏：

私人

著録：

《楊永德藏齊白石書畫》，中國嘉德’95 秋季拍賣會圖録第 271 號，1995 年，北京。

49. 荔枝松鼠

立軸

紙本水墨設色

105×34.5cm

1950 年

款題：

杏子塢老民齊大。九十歲時尚客京華。

印章：

借山翁（朱文）

收藏：

湘潭齊白石紀念館

50. 牡丹

立軸

紙本水墨設色

138×34cm

1950 年

款題：

保邦弟屬。九十歲白石。

印章：

白石（朱文）

寄萍堂（白文）

收藏：

香港佳士得拍賣行

51. 延年益壽

扇面

紙本水墨設色

19.8×54.5cm

1950 年

款題：

延年益壽（篆）。庚寅。九十歲白石。

印章：

白石（朱文）

收藏：

湘潭齊白石紀念館

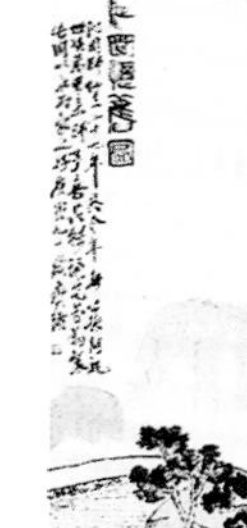

52. 沁園憶舊圖

立軸

紙本水墨設色

136.4×34.3cm

1950 年

款題：

沁園憶舊圖（篆）。沁園師仙去三十七年矣。今年春。公孫阿龍世姪萬里來師予。喜其能誦先芬。為製此圖。以永兩家之好。庚寅。九十歲齊璜。

印章：

齊大（白文） 寄萍堂（白文）

收藏：

遼寧省博物館

53. 燈蛾（草蟲冊之一）

冊頁

紙本水墨設色

33×26.5cm

約 1950 年

款題：

白石老人。

印章：

白石（朱文）

收藏：

北京榮寶齋

54. 芭蕉蜻蜓(草蟲册之二)

册頁

紙本水墨設色

33×26.5cm

約 1950 年

款題：

青蟲也。白石。

印章：

齊白石(白文)

收藏：

北京榮寶齋

55. 松枝小蜂(草蟲册之三)

册頁

紙本水墨設色

33×26.5cm

約 1950 年

款題：

松多壽。白石。

印章：

白石相贈(白文)

收藏：

北京榮寶齋

56. 懸枝蜂窩(草蟲册之四)

册頁

紙本水墨

33×26.5cm

約 1950 年

款題：

秋蟲白蟲。此黃蟲。白石。

印章：

白石(朱文)

收藏：

北京榮寶齋

57. 蘭草蚱蜢(草蟲册之五)

册頁

紙本水墨設色

33×26.5cm

約 1950 年

款題：

蚱蜢。白石。

印章：

木人(朱文)

收藏：

北京榮寶齋

58. 雙鴿圖

鏡片

紙本水墨

41.6×50.3cm

1950 年

款題：

九十歲後白石老人畫此送行。石倩弟屬。

印章：

白石(朱文)

收藏：

四川省博物館

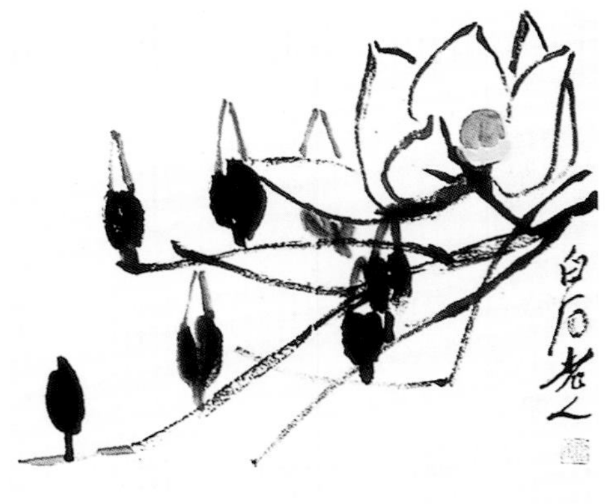

59. 玉蘭

册頁

紙本水墨設色

34×34cm

約 1950 年

款題：

白石老人

印章：

借山翁(白文)

收藏：

北京榮寶齋

60. 紫藤

册頁

紙本水墨設色

34×34cm

約 1950 年

款題：

借山老人

印章：

齊大(白文)

收藏:

北京榮寶齋

61. 江上餘霞

立軸

紙本水墨設色

120×38cm

1951 年

款題:

江上餘霞。辛卯。九十一歲白石。

印章:

平翁(朱文)

白石草堂(白文)

收藏:

私人

著録:

《齊白石繪畫精品集》第 113 頁,人民美術出版社,1991 年,北京。

62. 荷花雙鴨

立軸

紙本水墨設色

183×72cm

1951 年

款題:

九十一歲白石。

印章:

齊白石(白文)

借山翁(朱文)

寄萍堂(白文)

人長壽(朱文)

收藏:

炎黄藝術館藝術中心

63. 山居圖

立軸

紙本水墨設色

67.5×41cm

1951 年

款題:

九十一歲白石老人。

印章:

木人(朱文)　齊大(白文)

收藏:

私人

64. 萬竹山居

立軸

紙本水墨設色

68.5×41.5cm

1951 年

款題:

予為諸同學畫山水小幅。尚謙女弟見之。不能獨無。予憐之。畫此與。辛卯。九十一歲白石老人。

印章:

白石老人(白文)　甑屋(朱文)

收藏:

天津藝術博物館

著録:

《齊白石作品集・第一集・繪畫》第 174 圖,原題《山水》,人民美術出版社,1963 年,北京。

《榮寶齋畫譜》第 73 期。

《楊永德藏齊白石書畫》,中國嘉德'95 秋季拍賣會圖録第 246 號,1995 年,北京。

注釋:

原題《竹圃晴嵐》,"竹圃"指種植竹木的園子,但此畫描繪的主體是農舍、山居。故名之曰《萬竹山居》。

65. 凄迷燈火更宜秋

立軸

紙本水墨設色

136.5×33.5cm

1951 年

款題:

凄迷燈火更宜秋。趙秋谷句。

老舍兄臺愛此情調冷雋之作。倩白石畫。亦喜為之。辛卯。白石九十一矣。同客京華。

印章:

木人(朱文)

白石(朱文)

借山翁(朱文)

悔烏堂(朱文)

人長壽(朱文)

收藏:

中國文學館

66. 手摘紅櫻拜美人

立軸

紙本水墨設色

105×38cm

1951 年

款題:

手摘紅櫻拜美人。曼殊禪師句。辛卯。老舍雅命。九十一歲白石畫于京華城西白石鐵屋。

印章:

白石(朱文)　大匠之門(白文)

收藏:

私人

著録:

《齊白石畫集》第 125 圖,嚴欣强、金岩編,外文出版社,1991 年,北京。

67. 蛙聲十里出山泉

立軸

紙本水墨

134×34cm

1951 年

款題:

蛙聲十里出山泉。查初白句。老舍仁兄教畫。九十一白石。

印章:

白石(朱文)

木人(朱文)

收藏印:老舍心賞(朱文)

收藏:

中國文學館

著録:

《齊白石作品集・第一集・繪畫》第 171 圖,人民美術出版社,1963 年,北京。

《齊白石畫法與欣賞》插圖 31,胡佩衡、胡橐著,人民美術出版社,1959 年,北京。

《看齊白石畫》第 18 頁，王方宇、許芥昱著，藝術圖書公司，1979 年，臺北。

《齊白石畫集》第 126 圖，嚴欣强、金岩編，外文出版社，1991 年，北京。

注釋：

1951 年春節前（1 月至 2 月初），作家老舍選取前人著名詩句“蛙聲十里出山泉”（查初白）、“凄迷燈火更宜秋”（趙秋谷）、“幾樹寒梅帶雪紅”（蘇曼殊）、“手摘紅櫻拜美人”（蘇曼殊）等為題，請白石老人作畫。此圖即其一。參見李可染《國畫大家白石老人》（《人民日報》1951 年 4 月 1 日）；胡絜青《記齊白石大師》（《湘潭文史資料》第三輯，第 53 頁）。依李可染文章的記述和發表時間推算，這幾件作品應作於 1951 年 2 月—4 月之間。

68. 幾樹寒梅帶雪紅

立軸

紙本水墨設色

107×38cm

1951 年

款題：

幾樹寒梅帶雪紅。曼殊禪師句。九十一白石應友人老舍命。

印章：

木人(朱文)

大匠之門(白文)

收藏：

私人

著録：

《齊白石畫集》第 129 圖，嚴欣强、金岩編，外文出版社，1991 年，北京。

69. 芭蕉葉捲抱秋花

立軸

紙本水墨設色

101×36.5cm

1951 年

款題：

芭蕉葉捲抱秋花。曼殊禪師句。老舍先生清屬。九十一白石。

印章：

白石(朱文)

大匠之門(白文)

收藏：

中國文學館

70. 團叙一堂

立軸

紙本水墨設色

100×51cm

1951 年

款題：

宏照先生德盤夫人同正。

辛卯九十一歲。白石。

印章：

齊白石(白文)　人長壽(朱文)

收藏印：□

收藏：

霍宗傑

71. 益壽延年

立軸

紙本水墨設色

180×70cm

1951 年

款題：

益壽延年(篆)。

毛主席教正。

九十一歲齊璜。

印章：

齊璜之印(白文)

白石(朱文)

人長壽(朱文)

收藏：

北京中南海

著録：

《中南海珍藏書集》第一卷第 3頁，西苑出版社，1993 年，北京。

72. 牡丹

立軸

紙本水墨設色

102.5×34.5cm

1951 年

款題：

良華女士語正。九十一白石。辛卯。

印章：

白石(朱文)

大匠之門(白文)

收藏：

陝西美術家協會

73. 牡丹

立軸

紙本水墨設色

99×33cm

1951 年

款題：

顧珠女史清屬。辛卯。九十一歲白石老人。

印章：

齊白石（白文）

甑屋(朱文)

收藏：

中國藝術研究院美術研究所

74. 眉壽

立軸

紙本水墨設色

102×34cm

1951 年

款題：

裔群先生六十一歲之慶。九十一歲白石。

眉壽(篆)。白石又篆。

印章：

借山翁（朱文）

白石(朱文)

收藏：

陝西美術家協會

75. 荔枝綬帶

立軸

紙本水墨設色

102×34cm

1951 年

款題：

吴老伯母憶念太夫人八秩晉九大慶。

楊虎陶聖安敬祝。

九十一歲齊白石畫。

印章：

白石(朱文)　人長壽(朱文)
著録:
《齊白石繪畫精萃》第165圖，秦公、少楷主編，吉林美術出版社，1994年，長春。

76. 多壽
立軸
紙本水墨設色
102×36cm
1951年
款題:
多壽(篆)。九十一歲白石。
印章:
白石(朱文)
大匠之門(白文)
人長壽(朱文)
收藏:
北京市文物公司
著録:
《齊白石繪畫精萃》第202圖，秦公、少楷主編，吉林美術出版社，1994年，長春。

77. 他日相呼
册頁
紙本水墨設色
28×17.5cm
約50年代初期
款題:
他日相呼。白石。
印章:
白石(朱文)
著録:
《齊白石畫集》第123圖，嚴欣强、金岩編，外文出版社，1991年，北京。

78. 枇杷
立軸
紙本水墨設色
78×40cm

1951年
款題:
作畫在似與不似之間為妙。太似為媚俗，不似為欺世。
此九十一歲白石老人舊語。
印章:
白石(朱文)　大匠之門(白文)
收藏:
私人
著録:
《齊白石繪畫精品選》第102頁，董玉龍主編，人民美術出版社，1991年，北京。

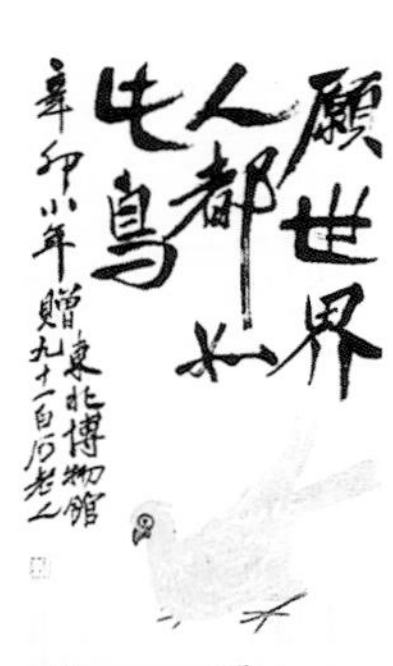

79. 願世界人都如此鳥
立軸
紙本水墨設色
99×40cm
1951年
款題:
願世界人都如此鳥。辛卯小年贈東北博物館。九十一白石老人。
印章:
白石(朱文)　寄萍堂(白文)
收藏:
遼寧省博物館
著録:
《齊白石畫集》第54圖，遼寧省博物館編，遼寧美術出版社，1961年，瀋陽。

80. 蟹
扇面
紙本水墨
20×64cm
1951年
款題:
櫜也藏。大扇頗不少。予亦不辭其勞。九十一歲白石。
印章:
白石(朱文)
收藏:
私人
著録:
《齊白石繪畫精品集》第116頁，人民美術出版社，1991年，北京。

81. 福壽齊眉
扇面
紙本水墨設色
18×57cm
1951年
款題:
福壽齊眉(篆)。
辛卯六月初三日乃佩衡弟六十壽。吾年九十一矣。
兄白石璜。
他人題記:
辛卯夏。
仲文君補寫。
印章:
齊白石(白文)　人長壽(朱文)
收藏印:□□
收藏:
私人
著録:
《齊白石繪畫精品集》第118頁，人民美術出版社，1991年，北京。

82. 和平
扇面
紙本水墨設色
20×66.5cm
1951年
款題:
和平(篆)。櫜也仁弟屬。九十一歲白石。
印章:
木人(朱文)
收藏:
私人

著録：

《齊白石繪畫精品集》第115頁，人民美術出版社，1991年，北京。

83. 蘭花蚱蜢

扇面

紙本水墨設色

18×55.5cm

1951年

款題：

龍看舞劍忙提筆。耻共簪花笑倚門。櫜也弟子屬書。九十一歲白石舊句。辛卯五月之初。

印章：

白石(朱文)

收藏：

私人

著録：

《齊白石繪畫精品集》第114頁，人民美術出版社，1991年，北京。

84. 梅蝶圖

扇面

紙本水墨設色

18×54cm

1951年

款題：

櫜也屬。白石山人。

印章：

木人(朱文)

收藏：

私人

著録：

《齊白石繪畫精品集》第118頁，人民美術出版社，1991年，北京。

85. 小魚都來

立軸

紙本水墨

137.7×34.4cm

1951年

款題：

小魚都來(篆)。九十一歲老人齊白石戲。

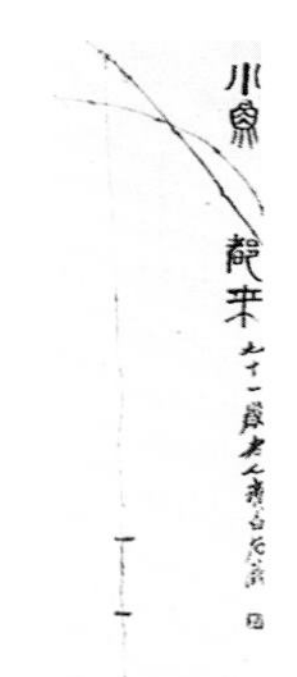

印章：

白石(朱文) 甑屋(朱文)

收藏：

中國美術館

著録：

《齊白石作品集·第一集·繪畫》第175圖，人民美術出版社，1963年，北京。

86. 蝦

立軸

紙本水墨

56×29.5cm

1951年

款題：

金濤弟屬。九十一歲白石。

他人題記：

老齊與余獨厚。其作畫好怪。惜未徹底。人多不明其用意所在。惟有寫魚蝦確確是雪個脱胎。雖足跡未周。神乎見奇□□□。

辛丑冬日。白石九十一歲。正合半丁八十有六之年。

印章：

白石(朱文) 借山翁(朱文)

收藏印:□□□

收藏：

私人

87. 蝦

立軸

紙本水墨

104×34cm

1951年

款題：

夏衍先生正。借山老人白石九十一歲。

印章：

白石(朱文)

收藏印：仁和沈氏曾藏(朱文)

收藏：

夏衍原藏，現藏浙江省博物館。

著録：

《夏衍珍藏書畫選集》第38圖，浙江人民美術出版社，1991年，杭州。

88. 蝦

立軸

紙本水墨

100×34cm

1951年

款題：

仁正先生雅正。星塘老屋後人齊白石作。時九十一歲。

印章：

白石(朱文)

收藏：

首都博物館

89. 蟹

立軸

紙本水墨

99×33cm

1951年

款題：

辛卯六月。應瀋陽之索。九十一歲白石。

印章：

白石(朱文)

收藏：

遼寧省博物館

90. 紫藤蜜蜂

册頁

紙本水墨設色

27×33cm

1951年

款題：

老萍

印章：

白石山翁(白文)

收藏：

私人

著録：

《齊白石畫集》第124圖，嚴欣强、金岩編，外文出版社，1991年，北京。

91. 青蛙

立軸

紙本水墨

105×34cm

1951年

款題：

九十一老人白石寫生。

賜如兒壽比爺長。父白石九十四歲。

印章：

白石(朱文)

木人(朱文)

著録：

《齊白石畫集》第53圖，遼寧省博物館編，遼寧美術出版社，1961年，瀋陽。

92. 長壽

册頁

紙本水墨設色

28×17.5cm

約1951年

款題：

長壽(篆)。白石。

印章：

白石(朱文)

收藏：

北京榮寶齋

93. 青蛙

立軸

紙本水墨

103.3×34.3cm

1951年

款題：

辛卯九十一歲白石。

印章：

白石(朱文)

大匠之門(白文)

收藏：

中國美術館

著録：

《齊白石作品集》第114圖，董玉龍主編，天津人民美術出版社，1990年，天津。

《齊白石畫集》第127圖，嚴欣强、金岩編，外文出版社，1991年，北京。

94. 竹笋白菜

立軸

紙本水墨設色

101.9×34.4cm

1951年

款題：

辛卯九日。白石老人一揮。

印章：

借山翁(朱文)

寄萍堂(白文)

收藏：

中國美術館

95. 佳人常在口頭香

立軸

紙本水墨設色

102.8×34cm

1951年

款題：

佳人常在口頭香。辛卯四月。畫于京華鐵屋。白石老人。

印章：

齊白石(白文)

借山翁(朱文)

大匠之門(白文)

收藏印：□

收藏：

中國美術館

96. 紫藤

立軸

紙本水墨設色

140×34cm

1951年

款題：

九十一老人白石一揮。

印章：

白石(朱文)

人長壽(朱文)

收藏：

遼寧省博物館

著録：

《齊白石畫集》第51圖，遼寧省博物館編，遼寧美術出版社，1961年，瀋陽。

97. 荷塘秋色

立軸

紙本水墨設色

132.9×59.6cm

1951年

款題：

韬也清屬。辛卯九十一歲白石。

印章：

白石(朱文)

悔烏堂(朱文)

人長壽(朱文)

收藏：

中國美術館

著録：

《齊白石作品集》第116圖，董玉龍主編，天津人民美術出版社，1990年，天津。

98. 風竹

横幅

紙本水墨

48×81cm

1951年

款題：

九十一白石老人畫竹。

印章：

白石(朱文)　大匠之門(白文)

收藏：

北京市文物公司

著録：

《齊白石繪畫精萃》第 164 圖，秦公、少楷主编，吉林美術出版社，1994 年，長春。

99. 枇杷

立軸

紙本水墨設色

68×34.5cm

1951 年

款題：

九十一歲白石老人。

印章：

白石(朱文)

收藏：

中國展覽交流中心

100. 菊

立軸

紙本水墨設色

105×36cm

1951 年

款題：

衡老仁兄雅屬。

九十一歲白石。

印章：

齊白石(白文)

大匠之門(白文)

收藏：

私人

101. 蜂蝶爲花忙(册頁之一)

册頁

紙本水墨設色

28.4×28.4cm

1951 年

款題：

却教蜂蝶為花忙。

九十一歲白石。

印章：

白石(朱文)

收藏：

周碧初

102. 雁來紅(册頁之二)

册頁

紙本水墨設色

28.4×28.4cm

1951 年

款題：

三百石印富翁白石。

印章：

白石(朱文)

收藏：

周碧初

103. 楓葉蟋蟀(册頁之三)

册頁

紙本水墨設色

28.4×28.4cm

1951 年

款題：

白石老人

印章：

白石(朱文)

收藏：

周碧初

104. 蝦(册頁之四)

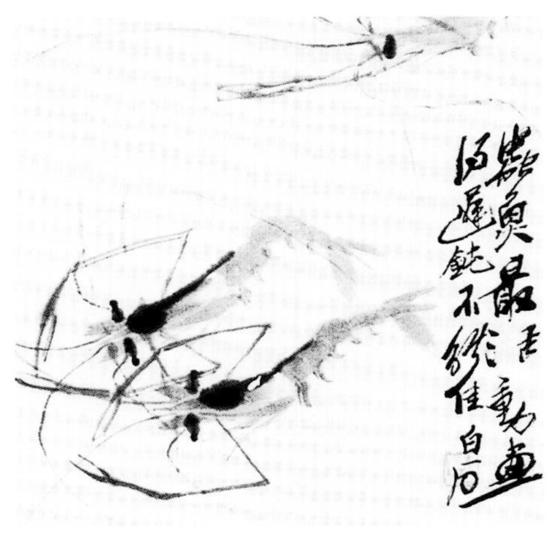

册頁

紙本水墨

28.4×28.4cm

1951 年

款題：

蟲魚最活動。畫得遲鈍不能佳。白石。

印章：

白石(朱文)

收藏：

周碧初

105. 蟹(册頁之五)

册頁

紙本水墨

28.4×28.4cm

1951 年

款題：

袖手看君。白石。

印章：

白石(朱文)

收藏：

周碧初

106. 枇杷(册頁之六)

册頁

紙本水墨設色

28.4×28.4cm

1951 年

款題：

經過白沙後。世上無枇杷。
辛卯。九十一歲白石。

印章：
白石（朱文）

收藏：
周碧初

107. 牽牛花（册頁之七）
册頁
紙本水墨設色
28.4×28.4cm
1951 年

款題：
白石

印章：
白石（朱文）

收藏：
周碧初

108. 五世同堂（册頁之八）
册頁
紙本水墨設色
28.4×28.4cm
1951 年

款題：
五世同堂。
九十一歲白石。

印章：
白石（朱文）

收藏：
周碧初

109. 蓮荷（册頁之九）
册頁
紙本水墨設色
28.4×28.4cm
1951 年

款題：
寄萍老人白石。

印章：
白石（朱文）

收藏：
周碧初

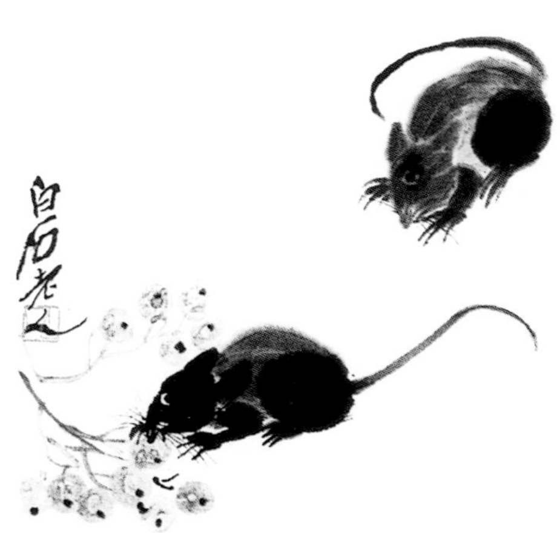

110. 葡萄老鼠（册頁之十）
册頁
紙本水墨設色
28.4×28.4cm
1951 年

款題：
白石老人

印章：
白石（朱文）

收藏：
周碧初

111. 水草青蛙（册頁之十一）
册頁
紙本水墨
28.4×28.4cm
1951 年

款題：
借山吟館主者白石。

印章：
白石（朱文）

收藏：
周碧初

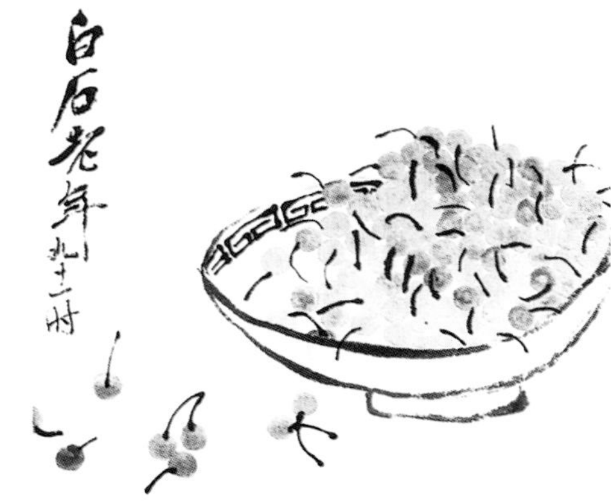

112. 櫻桃（册頁之十二）
册頁
紙本水墨設色
28.4×28.4cm
1951 年

款題：
白石老年九十一時。

印章：
白石（朱文）

收藏：
周碧初

113. 棕樹

立軸

紙本水墨設色

178×48cm

1951 年

款題：

辛卯。九十一歲白石。

印章：

白石(朱文)

甑屋(朱文)

借山翁(朱文)

大匠之門(白文)

收藏：

北京榮寶齋

114. 荔枝八哥

立軸

紙本水墨設色

69×36cm

1952 年

款題：

白石老人九十二歲時畫于京華。

印章：

白石(朱文)　甑屋(朱文)

收藏：

中國展覽交流中心

著録：

《齊白石繪畫精萃》第 178 頁，秦公、少楷主编，吉林美術出版社，1994 年，長春。

115. 梅花茶具圖

立軸

紙本水墨設色

34×27cm

1952 年

款題：

毛主席正。

九十二歲齊璜。

印章：

白石老人(白文)　木人(朱文)

大匠之門(白文)

收藏：

北京中南海

著録：

《中南海珍藏畫集》第一卷第 18 頁，西苑出版社，1993 年，北京。

116. 鴿子

立軸

紙本水墨設色

82.5×32cm

1952 年

款題：

君協世姪清正。壬辰冬十月。九十二歲白石老人畫于京華。

印章：

齊大(白文)

收藏：

陝西美術家協會

117. 和平鴿

立軸

紙本水墨設色

100×33cm

1952 年

款題：

和平鴿(篆)。壬辰秋。璜畫。

印章：

白石(朱文)

人長壽(朱文)

著録：

《齊白石畫集》第 130 圖，嚴欣强、金岩编，外文出版社，1991 年，北京。

118. 和平

立軸

紙本水墨設色

72×42cm

1952 年

款題：

和平(篆)。橐也請畫。壬辰。九十二歲白石。

印章：

齊白石(白文)

收藏：

私人

著録：

《齊白石繪畫精品集》第 121 頁，人民美術出版社，1991 年，北京。

《齊白石畫法與欣賞》彩圖 7，胡佩衡、胡橐著，人民美術出版社，1959 年，北京。

《楊永德藏齊白石書畫》，中國嘉德'95 秋季拍賣會圖録第 233 號，1995 年，北京。

119. 和平

册頁

紙本水墨設色

36×30cm

1952 年

款題：

和平。九十二歲白石。

印章：

白石(朱文)

收藏：

北京飯店

120. 和平鴿

册頁

紙本水墨設色
34×58cm
1952年

款題：

和平鴿(篆)。槖也之請。九十二歲白石。

印章：

齊白石(白文)

收藏：

私人

著録：

《齊白石繪畫精品集》第119頁，人民美術出版社，1991年，北京。

121. 世世太平

立軸
紙本水墨設色
66×39.5cm
1952年

款題：

世世太平(篆)。九十二歲白石老人。

印章：

白石(朱文)　大匠之門(白文)

收藏：

中國展覽交流中心

122. 百世多吉

册頁
紙本水墨設色
64.5×64cm
1952年

款題：

百世多吉(篆)。九十二歲白石。

印章：

白石(朱文)　人長壽(朱文)

收藏：

私人

123. 鴿

册頁
紙本水墨設色
30×40cm
1952年

款題：

壬辰。九十二歲初傳七兒畫鳥法。父。

印章：

白石(朱文)

收藏：

私人

124. 喜鵲

立軸
紙本水墨
102×33cm
1952年

款題：

壬辰。九十二歲白石。

印章：

齊白石(白文)
人長壽(朱文)

收藏：

私人

著録：

《齊白石繪畫精品集》第125頁，人民美術出版社，1991年，北京。

125. 滕王閣

立軸
紙本水墨設色
105.1×49.5cm
1952年

款題：

落霞與孤鶩齊飛。
秋水共長天一色。
琪翔部長秀儀女弟同玩。九十二歲白石。

印章：

白石(朱文)

收藏：

私人

著録：

《齊白石繪畫精品集》第123頁，人民美術出版社，1991年，北京。

《榮寶齋畫譜》第73期，齊白石山水。

《楊永德藏齊白石書畫》，中國嘉德'95秋季拍賣會圖録第226圖，1995年，北京。

注釋：

此畫是送給黄琪翔、郭秀儀夫婦的。黄琪翔(1898－1970年)，字御行，廣東梅縣人。1919年畢業於保定陸軍軍官學校，歷任國民革命軍第4軍長、國民政府軍事委員會政治部副部長、第26集團軍司令、預備集團軍總司令等職。1948年與南京政府脱離關係。新中國成立後，歷任中南軍政委員會委員、第一届全國人大代表、全國政協常委、國家體委副主任等。郭秀儀是黄琪翔夫人，齊白石女弟 子。50年代，齊白石與黄、郭過從頗多。

126. 雨耕圖

立軸
紙本水墨設色
70×53cm
1952年

款題：

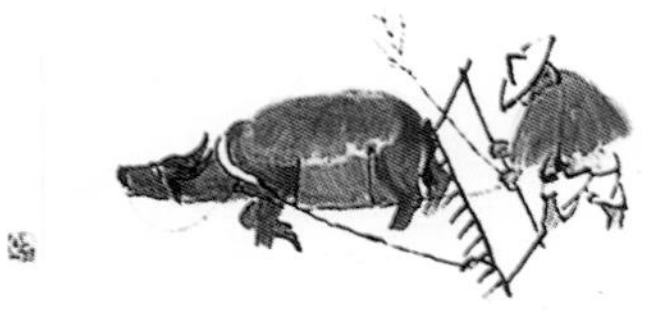

老舍仁弟法教。壬辰。九十二歲璜。其時同客京華。

(詩塘)逢人恥聽說荆關。宗派誇能却汗顔。自有心胸甲天下。老夫看慣桂林山。

為松扶杖過前灘。二月春風雪已殘。我是昔人葉公子。水邊常怯作龍看。

後一首看松舊作。

老舍吾弟兩教。九十二白石。

印章:

齊白石(白文)　寄萍堂(白文)

收藏印:老舍(白文)

收藏:

中國文學館

127. 雨耕圖

立軸

紙本水墨設色

69×52.7cm

1952 年

款題:

齊白石。九十二歲尚客京華白石鐵屋。

印章:

齊大(白文)　木人(朱文)

收藏:

中國美術館

注釋:

此圖同年畫了兩幅，一幅送與老舍。上題"老舍仁弟法教。壬辰。九十二歲齊璜。其時同客京華"。又題兩首詩云:"逢人耻聽説荆關。宗派誇能却汗顔。自有心胸甲天下,老夫看慣桂林山。為松扶杖過前灘，二月春風雪已殘。我是昔人葉公子，水邊常怯作龍看。後一首看松舊作。老舍吾弟兩教。九十二白石。"鈐"齊白石"(白文)、"寄萍堂"(白文)印及"老舍"收藏印。

著録:

《齊白石作品集・第一集・繪畫》第 178 圖，人民美術出版社，1963 年，北京。

《齊白石作品集》第 118 圖，董玉龍主編，天津人民美術出版社，1990 年,天津。

128. 牧牛圖

册頁

紙本水墨設色

36×52cm

1952 年

款題:

璜畫

(詩塘)祖母聞鈴心始歡。(璜幼時牧牛。身繫一鈴。祖母聞鈴聲。遂不復倚門矣。)也曾摠角牧牛還。兒孫照様耕春雨。老對犁鋤汗滿顔。㮊也屬題舊句。九十二歲璜。

印章:

齊璜之印(白文)　齊白石(白文)

收藏:

私人

著録:

《齊白石繪畫精品集》第 128 頁，人民美術出版社,1991 年,北京。

《齊白石畫法與欣賞》第 115 圖，胡佩衡、胡㮊著，人民美術出版社，1959 年,北京。

《齊白石作品集・第一集・繪畫》第 184 圖，人民美術出版社，1963 年，北京。

129. 紅梅喜鵲圖

立軸

紙本水墨設色

173×53cm

1952 年

款題:

壬辰。九十二歲白石。

印章:

齊白石(白文)

大匠之門(白文)

收藏:

廣西壯族自治區博物館

130. 桃

立軸

紙本水墨設色

117.6×41.7cm

1952 年

款題:

壬辰。九十二歲白石。

印章:

齊白石(白文)

收藏:

北京故宫博物院

131. 竹鷄

立軸

紙本水墨設色

104.5×34cm

1952 年

款題:

白石老人九十二歲作。

印章:

齊白石(白文)

大匠之門(白文)

收藏:

中國展覽交流中心

著録:

《齊白石繪畫精萃》第 186 圖，秦公、少楷主編，吉林美術出版社，1994 年,長春。

132. 猫蝶圖

立軸

紙本水墨設色

139.5×34.5cm

1952 年

款題:

猫之精光。蝶之綵(彩)色。求老人依様。不厭千回。予亦不可辭。九十二白石。

印章：

齊白石(白文)

大匠之門(白文)

收藏：

私人

著録：

《齊白石繪畫精品集》第 124 頁，人民美術出版社，1991 年，北京。

《楊永德藏齊白石書畫》，中國嘉德'95 秋季拍賣會圖録第 285 號，1995 年，北京。

133. 秋葉鳴蟬

立軸

紙本水墨設色

98×34cm

1952 年

款題：

祖光鳳霞兒女同寶。壬辰七月五日拜見九十二歲老親題記。

印章：

白石(朱文)

甑屋(朱文)

收藏印：祖光藏畫(朱文)

收藏：

私人

注釋：

齊白石於贈此畫的前一日（1952 年 7 月 4 日），收著名評劇演員新鳳霞為干女兒。第二日新鳳霞同吴祖光去拜見老人，老人題此畫為贈（見《新鳳霞回憶録》）。從繪畫風格看，此圖似是 40 年代所作。

134. 牽牛花

立軸

紙本水墨設色

105.6×45.2cm

1952 年

款題：

予借山於曉霞山之西大岩之東岩之(石)牽牛。常有花大如斗。予九十二歲時。一日翻舊簏。得予少時手本。九十二歲始用之。白石。

印章：

白石(朱文)　大匠之門(白文)

收藏：

中國美術館

著録：

《齊白石作品集》第 117 圖，董玉龍主编，天津人民美術出版社，1990 年，天津。

《齊白石畫集》第 131 圖，嚴欣强、金岩编，外文出版社，1991 年，北京。

135. 雙壽圖

立軸

紙本水墨設色

100×34.5cm

1952 年

款題：

濟深先生雙壽。九十二歲齊璜敬賀。

印章：

白石(朱文)

人長壽(朱文)

收藏：

廣西壯族自治區博物館

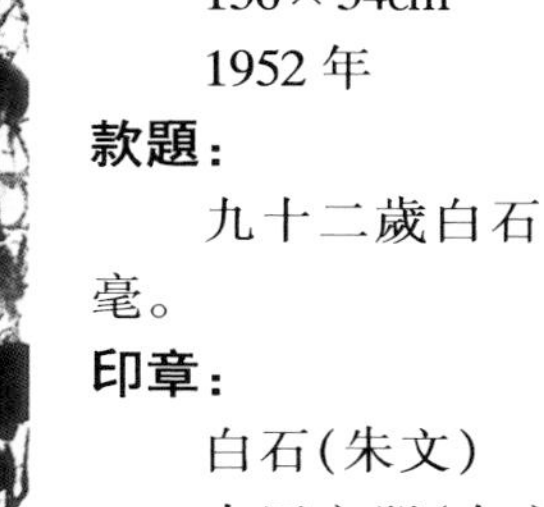

136. 瓜蟲圖

立軸

紙本水墨設色

136×34cm

1952 年

款題：

九十二歲白石老人揮毫。

印章：

白石(朱文)

大匠之門(白文)

收藏：

私人

著録：

《齊白石繪畫精萃》第 167 圖，原題《瓜》，秦公、少楷主編，吉林美術出版社，1994 年，長春。

137. 枇杷竹簍

立軸

紙本水墨設色

103.5×33cm

1952 年

款題：

壬辰。九十二歲白石老人畫于京華。

印章：

齊白石(白文)

人長壽(朱文)

收藏：

私人

著録：

《齊白石繪畫精品選》第 110 頁，董玉龍主编，人民美術出版社，1991 年，北京。

138. 青蛙蝌蚪

立軸

紙本水墨

102.5×34.5cm

1952 年

款題：

金濤弟屬。九十二歲白石老人。

印章：

齊白石（白文）

大匠之門(白文)

收藏：

私人

139. 芋葉青蛙

立軸

紙本水墨

105×36cm

1952 年

款題：

九十二歲白石老人一揮。

印章：

齊白石(白文)

借山翁(朱文)

收藏：

私人

著録：

《齊白石繪畫精品選》第 109 圖，董玉龍主编，人民美術出版社，1991 年，北京。

140. 蛙戲

立軸

紙本水墨

137×47cm

1952 年

款題：

湖南文物管理委員會補壁。壬辰。九十二歲齊璜時與崧濤兄同客京華城西。

印章：

白石(朱文)

大匠之門(白文)

收藏印：湖南省文物管理委員會收藏(朱文)

收藏：

湖南省博物館

141. 魚蟹圖
立軸
紙本水墨
70×42cm
1952 年
款題：
九十二歲白石老人。
印章：
齊白石(白文)　大匠之門(白文)
著録：
《齊白石繪畫精萃》第 117 圖，秦公、少楷主編，吉林美術出版社，1994 年。長春。

142. 鯉魚
立軸
紙本水墨
103×34cm
1952 年
款題：
壬辰。九十二歲為金濤世姪畫。白石。
印章：
白石(朱文)
大匠之門(白文)
收藏：
私人

143. 魚
立軸
紙本水墨
102×34.5cm
1952 年
款題：
九十二歲白石。
印章：
齊白石(白文)
寄萍堂(白文)
收藏：
私人
著録：
《齊白石繪畫精萃》第 116 圖，秦公、少楷主編，吉林美術出版社，1994年，長春。

144. 荷花鴛鴦
立軸
紙本水墨設色
92×46cm
1952 年
款題：
光照老弟論作。壬辰。九十二歲白石老人。
印章：
白石(朱文)
白石相贈(白文)
收藏：
私人
著録：
《齊白石繪畫精品集》第 127 頁，人民美術出版社，1991 年，北京。
注釋：
盧光照(1914—　)，字春塘，河南汲縣人。1937 年畢業於國立北平藝專國畫系，受業於齊白石、溥心畬等。曾任教於北平藝專，1949 年任人民美術出版社編輯，為《齊白石作品集》(1963 年)責編。現為中央文史研究館館員。

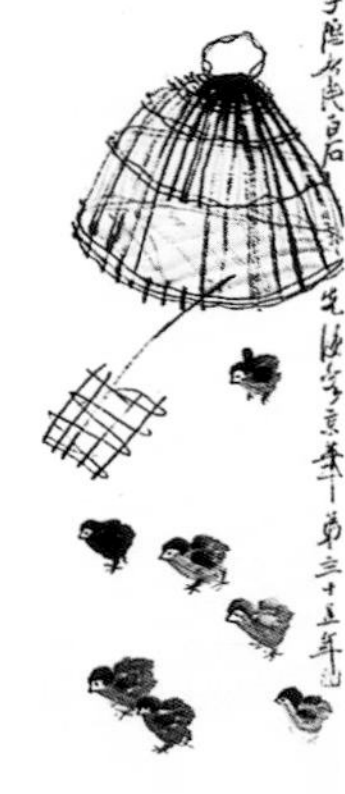

145. 出籠
立軸
紙本水墨
103×33.5cm
1951 年
款題：
杏子塢老民白石先後客京華第四十五年。
印章：
白石翁(朱文)
收藏：
中央美術學院
注釋：
白石居北京共 41 年（1917 年至 1957 年）。此作所題“四十五年”應為“三十五年”之誤，即作於 1951 年。

146. 二三子
册頁
紙本水墨
37×33cm
約 50 年代初期
款題：
二三子(篆)。白石老人。
印章：
借山翁(白文)
收藏：

私人
著録：
《齊白石畫海外藏珍》第 133 圖，王大山主編，榮寶齋（香港）有限公司出版，1994 年，香港。

147. 菊花
立軸
紙本水墨設色
77×42cm
1952 年
款題：
子範先生正。九十二歲白石。
印章：
白石(朱文)
收藏：
青島崔子範美術館

148. 立高聲遠
立軸
紙本水墨
107×34cm
1952 年
款題：
立高聲遠(篆)。
九十二歲白石老人一揮。
印章：
白石(朱文)
收藏：

私人

著録:

《齊白石繪畫精品集》第 126 圖,人民美術出版社,1991 年,北京。

149. 絲瓜

立軸

紙本水墨設色

69×40.5cm

1952 年

款題:

懷明同志正畫。壬辰。九十二歲白石。

印章:

齊白石(白文)

收藏:

湘潭齊白石紀念館

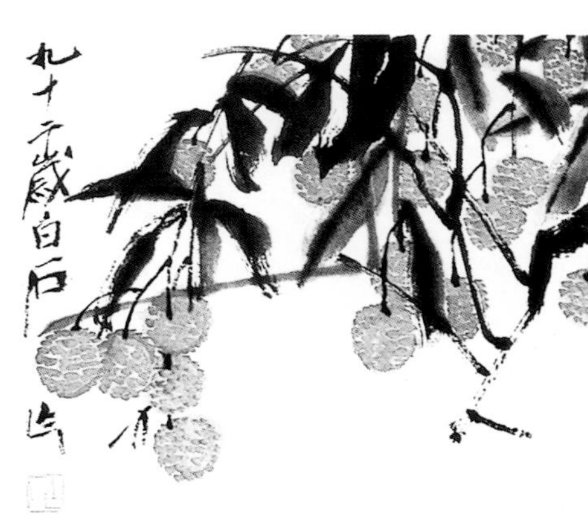

150. 荔枝(蔬果册之一)

册頁

紙本水墨設色

34×34cm

1952 年

款題:

九十二歲白石作。

印章:

白石(朱文)

收藏:

中央美術學院

151. 南瓜(蔬果册之二)

册頁

紙本水墨設色

34×34cm

1952 年

款題:

瓜瓣分明。九十二歲白石。

印章:

木人(朱文)

收藏:

中央美術學院

152. 桃(蔬果册之三)

立軸

紙本水墨設色

34×34cm

1952 年

款題:

九十二歲白石老人。

印章:

白石(朱文)

收藏:

中央美術學院

153. 野菌(蔬果册之四)

册頁

紙本水墨

34×34cm

1952 年

款題:

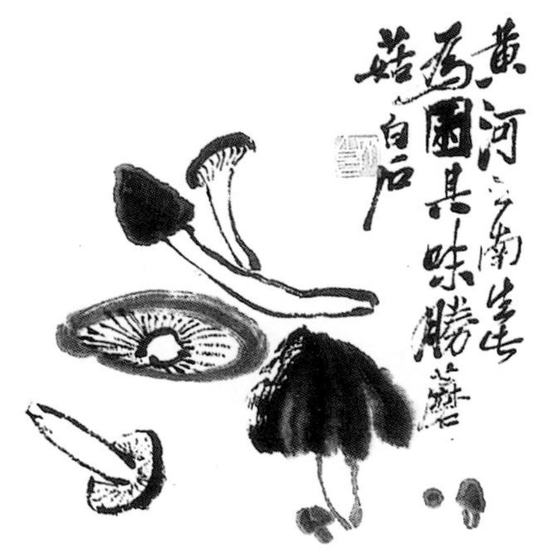

黄河之南生此為囷(菌)。其味勝蘑菇。白石。

印章:

齊白石(白文)

收藏:

中央美術學院

154. 葡萄蘋果(蔬果册之五)

册頁

紙本水墨設色

34×34cm

1952 年

款題:

白石老人

印章:

齊白石(白文)

收藏:

中央美術學院

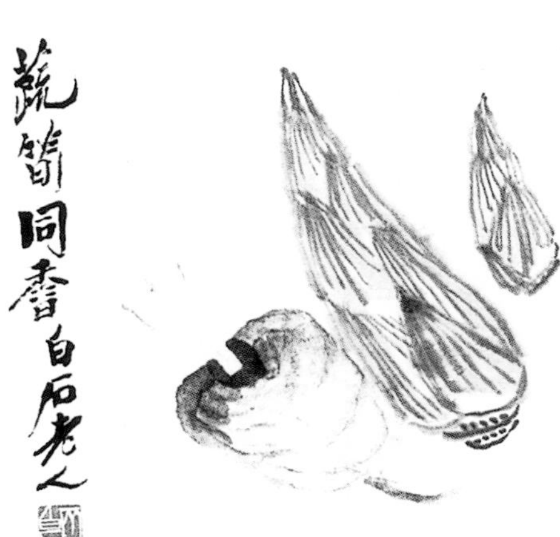

155. 蘿蔔竹笋(蔬果册之六)

册頁

紙本水墨設色

34×34cm

1952 年

款題：

蔬筍(笋)同香。白石老人。

印章：

齊白石(白文)

收藏：

中央美術學院

156. 櫻桃(蔬果册之七)

册頁

紙本水墨設色

34×34cm

1952 年

款題：

白石

印章：

齊大(白文)

收藏：

中央美術學院

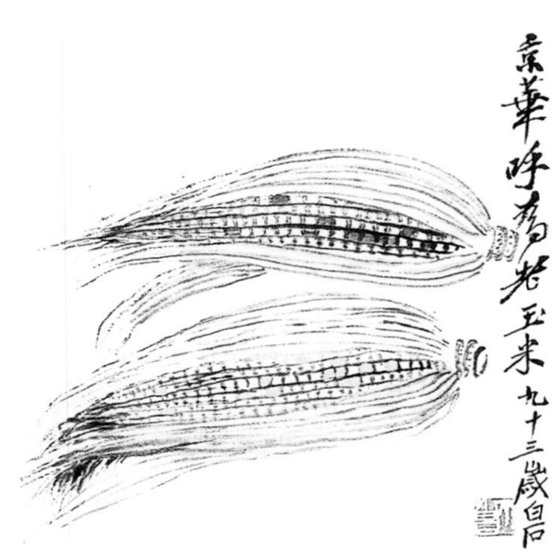

157. 玉米(蔬果册之八)

册頁

紙本水墨設色

34×34cm

1952 年

款題：

京華呼為老玉米。九十三歲白石。

印章：

齊白石(白文)

收藏：

中央美術學院

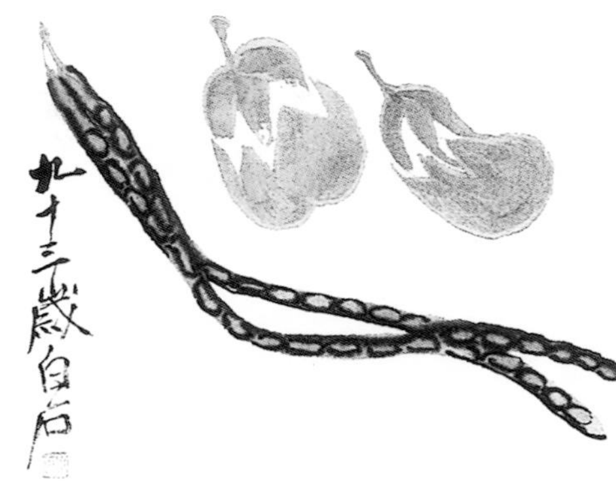

158. 茄子豆莢(蔬果册之九)

册頁

紙本水墨設色

34×34cm

1952 年

款題：

九十三歲白石。

印章：

齊大(白文)

收藏：

中央美術學院

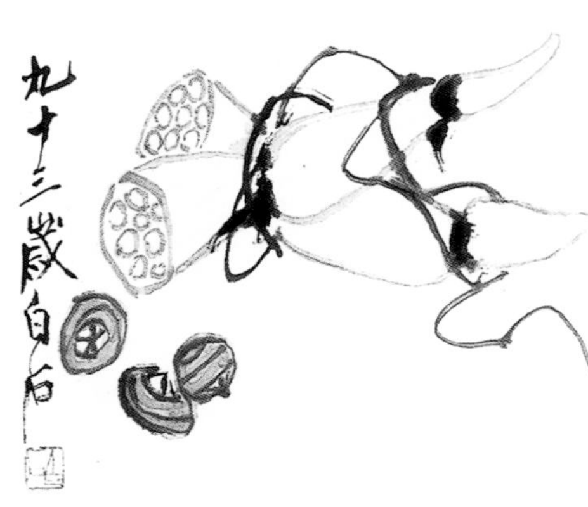

159. 蓮藕荸薺(蔬果册之十)

册頁

紙本水墨設色

34×34cm

1952 年

款題：

九十三歲白石。

印章：

白石(朱文)

收藏：

中央美術學院

160. 枇杷(蔬果册之十一)

册頁

紙本水墨設色

34×34cm

1952 年

款題：

九十三歲白石。

印章：

齊白石(白文)

收藏：

中央美術學院

161. 白菜辣椒(蔬果册之十二)

册頁

紙本水墨設色

34×34cm

1952 年

款題：

白石九十三歲。

印章：

借山翁(朱文)

收藏：

中央美術學院

162. 荷塘鴨趣

册頁

紙本水墨

52×47cm

約 50 年代初期

款題：

白石

印章：

借山翁(白文)
收藏:
私人
著録:
《齊白石畫海外藏珍》第 132 圖,王大山主編,榮寶齋(香港)有限公司,1994 年,香港。

163. 八哥能言

册頁
紙本水墨
37×33cm
約 50 年代初期
款題:
客來煮茶。予親聞八哥能言此四字。白石。
印章:
齊白石(白文)
收藏:
私人
著録:
《齊白石畫海外藏珍》第 131 圖,王大山主編,榮寶齋(香港)有限公司出版,1994 年,香港。

164. 秋色佳

册頁
紙本水墨設色
33×26.5cm
約 50 年代初期

款題:
秋色佳。白石。
印章:
白石(朱文)
收藏:
北京榮寶齋

165. 三千年

册頁
紙本水墨設色
35×48cm
1953 年
款題:
三千年。九十三歲白石。
印章:
齊大(朱文)
著録:
《齊白石畫集》第 136 圖,嚴欣强、金岩編,外文出版社,1991 年,北京。

166. 老少年

册頁
紙本水墨設色
33×33cm
1953 年
款題:
瀕生
印章:
木人(朱文)
收藏:
遼寧省博物館

167. 枇杷

册頁
紙本水墨設色
33×33cm
1953 年
款題:
小名阿芝。
印章:
白石(朱文)
收藏:
遼寧省博物館

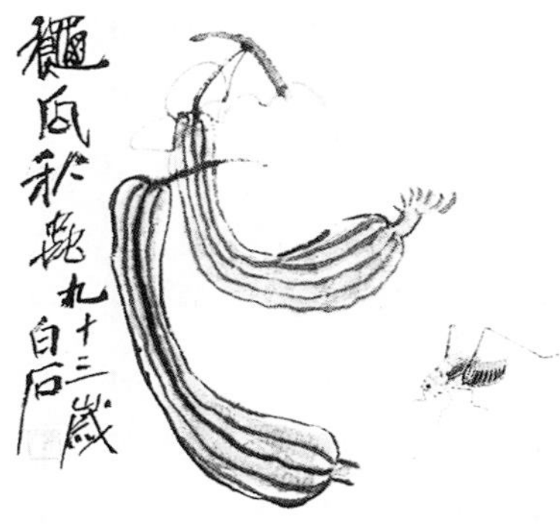

168. 秋瓜秋蟲

册頁
紙本水墨設色
22×28cm
1953 年
款題:
秋瓜秋蟲。
九十三歲白石。
印章:

木人(朱文)

收藏：

私人

169. 紅菊

册頁

紙本水墨設色

30×33cm

1953 年

款題：

少平先生屬。九十三歲白石老人。

印章：

木人(朱文)

收藏：

私人

170. 牽牛

册頁

紙本水墨設色

33×32cm

1953 年

款題：

老萍。

淑芳作人兩玩。九十三歲白石老人贈畫。

印章：

白石相贈(白文)

大匠之門(白文)

收藏：

私人

171. 延年

立軸

紙本水墨設色

130×66cm

1953 年

款題：

延年(篆)。九十三歲白石。

印章：

白石(朱文)

人長壽(朱文)

收藏：

中國美術館

著録：

《齊白石作品集》第 119 圖，董玉龍主編，天津人民美術出版社，1990 年，天津。

172. 和平

立軸

紙本水墨設色

167×54cm

1953 年

款題：

東北博物館。白石贈。時年九十三。

和平(篆)。

印章：

白石(朱文)

甑屋(朱文)

悔烏堂(朱文)

收藏：

遼寧省博物館

著録：

《齊白石畫集》第 55 圖，原題《荷花飛鴿》，遼寧博物館編，遼寧美術出版社，1961 年，瀋陽。

173. 黃梅八哥

立軸

紙本水墨設色

137×35cm

1953 年

款題：

九十三歲白石。

印章：

齊白石(白文)

寄萍堂(白文)

收藏：

中央美術學院

174. 慶祝國慶

立軸

紙本水墨設色

67×49cm

1953 年

款題：

慶祝國慶。九十三歲齊璜。

印章：

白石(朱文)

著録：

《中國嘉德'95 秋季拍賣會・中國書畫》第 56 號，1995 年，北京。

175. 長年

立軸

紙本水墨

105.2×34.5cm

1953 年

款題：

長年(篆)。癸己(巳)(篆)。白石老人九十三歲。

印章：

齊白石(白文)

借山翁(朱文)

人長壽 (朱文)

悔烏堂(朱文)

收藏：

私人

著録：

《楊永德藏齊白石書畫》，中國嘉德'95 秋季拍賣會圖録第 344 號，1995 年，北京。

注釋：

于非闇《白石老人的畫》曾談到白石老人畫的鮎魚："中國畫的紙和墨，都是不易掌握的。白石老人用過苦功，經驗多，到了他的手中，就能够隨心所欲地運用，使之發生良好的效果。我最佩服他用淡墨畫的那一條俯冲前竄的大鮎魚，除去眼睛和兩條須之外，連頭帶鰓，通身到尾祇有五筆，就把條二斤來重、油光水滑又肥又圓的大鮎魚塑造出來了，而且表現出鮎魚搖尾前進的習性。白石老人曾在河邊用棉花球釣過大蝦，和我談過釣魚捕魚和以鮎魚作菜的故事，因為他仔細觀察了這些動物的神態，熟悉它們，所以畫出來的鲇魚，把它在水裏的力量也充分地畫出來了。”(參見《齊白石研究》，力群編，上海人民美術出版社，1959 年，上海。)

176. 蝦
鏡片
紙本水墨
32×35.5cm
1953 年
款題：
立也用意。九十三歲白石。
印章：
齊白石(白文)
收藏印：李立收藏(朱文)
收藏：
李立

177. 荷花鴛鴦
立軸
紙本水墨設色
137×49cm
1953 年
款題：
九十三歲白石畫荷。
印章：
白石(朱文)
寄萍堂(白文)
收藏：
遼寧省博物館
著録：
《齊白石畫集》第 59 圖，遼寧省博物館編，遼寧美術出版社，1961 年，瀋陽。

178. 絲瓜
立軸
紙本水墨設色
102.5×34.5cm
1953 年

款題：
伯鈞老弟清正。九十三歲白石。
印章：
齊白石（白文）
寄萍堂(白文)
著録：
《齊白石繪畫精萃》第 169 圖，秦公、少楷主編，吉林美術出版社，1994 年，長春。

179. 紫藤
立軸
紙本水墨設色
104×32.5cm
1953 年
款題：
克堅同鄉正畫。九十三歲白石。
印章：
白石(朱文)
收藏：
湘潭齊白石紀念館
著録：
《齊白石畫集》第 135 圖，嚴欣强、金岩編，外文出版社，1991 年，北京。

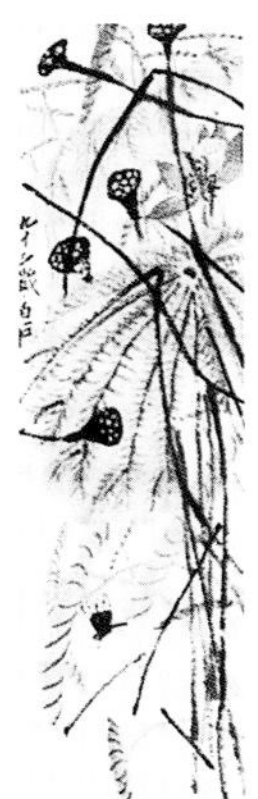

180. 秋荷
立軸
紙本水墨設色
116×30cm
1953 年
款題：
九十三歲白石。
印章：
白石(朱文)
大匠之門(白文)
收藏：
私人
著録：
《齊白石繪畫精品選》第 115 頁，董玉龍主編，人民美術出版社，1991 年，北京。

181. 老少年・喜鵲
立軸
紙本水墨設色
102.3×34cm
1953 年
款題：
老少大喜(篆)。九十三白石。
印章：

白石(朱文)
借山翁(朱文)
收藏印：東北美專珍藏(朱文)
收藏：
魯迅美術學院

注釋：
老少大喜，似不通順。擬為老少介（皆）喜。

182. 荷花鴛鴦
横幅
紙本水墨設色
35×68cm
1953 年
款題：
九十三歲白石老人。
印章：
白石(朱文)　人長壽(朱文)
著録：
《中國嘉德’95 春季拍賣會・中國書畫》第 325 號，1995 年，北京。
注釋：
齊白石較少畫横幅，此幅是其少數横幅作品之一，與湘潭齊白石紀念館藏帳簾畫《芙蓉鴛鴦》(見本書第二集)構圖上略相近。

183. 松鷹圖
立軸
紙本水墨設色
307.8×61.6cm
1953 年
款題：
東北美術專科學校存。九十三歲白石畫此時居北京齊家鐵屋。
印章：
借山翁(朱文)
白石(朱文)
齊璜之印(白文)
收藏：
魯迅美術學院

184. 鴿子荔枝

立軸

紙本水墨設色

98×33cm

1953 年

款題：

九十三歲白石老人作于京華白石鐵屋。

印章：

白石(朱文)

借山翁(朱文)

收藏：

私人

著録：

《齊白石繪畫精萃》第 204 圖，秦公、少楷主編，吉林美術出版社，1994 年，長春。

185. 平安多利

立軸

紙本水墨設色

101×34cm

1953 年

款題：

平安多利(篆)。九十三歲白石。

印章：

白石(朱文)

收藏：

遼寧省博物館

著録：

《齊白石畫集》第 60 圖，原題《荔枝鵪鶉》，遼寧省博物館編，遼寧美術出版社，1961 年，瀋陽。

186. 柳蔭公鷄

立軸

紙本水墨設色

126×54cm

1953 年

款題：

九十三歲白石。

印章：

齊白石（白文）

大匠之門(白文)

著録：

《齊白石繪畫精品選》第 108 頁，董玉龍主编，人民美術出版社，1991 年，北京。

187. 教子圖

立軸

紙本水墨設色

151.5×64cm

1953 年

款題：

九十三歲白石。

印章：

齊白石(白文)

大匠之門(白文)

收藏印：東北美專珍藏(朱文)

收藏：

魯迅美術學院

188. 新喜

立軸

紙本水墨設色

83×45cm

1953 年

款題：

新喜。九十三歲老人白石。

印章：

甑屋(朱文)

收藏：

私人

著録：

《齊白石繪畫精品集》第 130 頁，人民美術出版社，1991 年，北京。

189. 松鶴圖

立軸

紙本水墨設色

135.5×63cm

1953 年

款題：

九十三歲白石。

印章：

借山老人(白文)

收藏：

上海朵雲軒

190. 不倒翁

册頁

紙本水墨設色

30.8×22cm

1953 年

款題：

九十三白石老人。

印章：

齊白石(白文)

收藏：

私人

著録：

《齊白石繪畫精品集》第 138 頁，人民美術出版社，1991 年，北京。

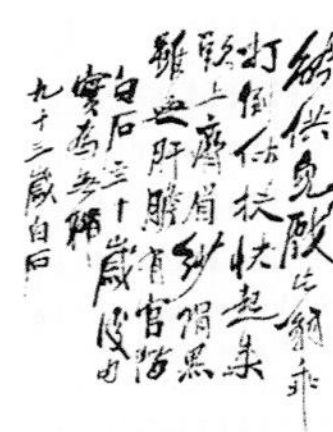

191. 不倒翁

立軸

紙本水墨設色

119×41.4cm

1953 年

款題：

能供兒戲此翁乖。
打倒休扶快起來。
頭上齊眉紗帽黑。
雖無肝膽有官階。
白石四十歲後句。
實為無聊。九十三歲白石。

印章：

齊白石(白文)　甑屋(朱文)

收藏：

中國美術館

著録：

《齊白石畫集》第 137 圖，嚴欣强、金岩編，外文出版社，1991 年，北京。

192. 九雛圖

立軸

紙本水墨

72×33.5cm

1953 年

款題：

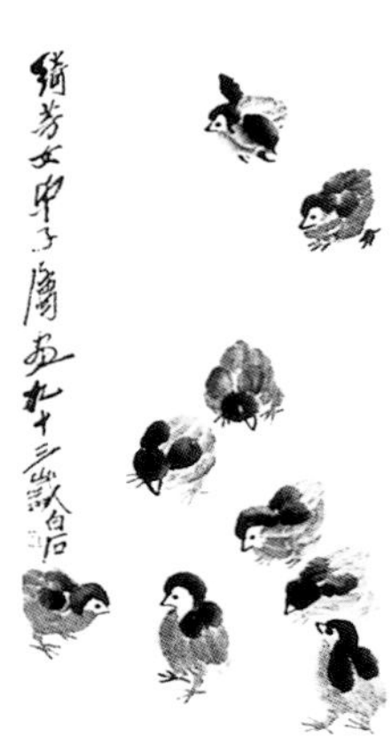

綺芳女弟子屬畫。九十三歲白石。

印章：

齊大(白文)

收藏：

北京市文物公司

著録：

《翰海'95春季拍賣會·中國書畫》，第187號，1995年，北京。

193. 蘭花麻雀

立軸
紙本水墨設色
102.7×33.8cm
1953年

款題：

九十三歲齊白石老人作。

印章：

齊白石(白文)
寄萍堂(白文)
收藏印：廔廬歡喜(朱文)

收藏：

中國美術館

著録：

《齊白石作品集·第一集·繪畫》第187圖，人民美術出版社，1963年，北京。

《齊白石畫集》第134圖，嚴欣强、金岩編，外文出版社，1991年，北京。

194. 兩部蛙聲當鼓吹

立軸
紙本水墨
104.5×34cm
1953年

款題：

兩部蛙聲當鼓吹。九十三歲白石。

印章：

齊白石（白文）
大匠之門(白文)

著録：

《齊白石繪畫精萃》第168圖，原題《青蛙·蝌蚪》，秦公、少楷主編，吉林美術出版社，1994年，長春。

195. 青蛙

立軸
紙本水墨
105×34cm
1953年

款題：

九十三歲白石老人。

印章：

齊白石(白文)
寄萍堂(白文)

收藏：

中國展覽交流中心

196. 魚

立軸
紙本水墨
95×32cm
1953年

款題：

九十三歲白石作。

印章：

齊白石（白文）
大匠之門(白文)

收藏：

私人

著録：

《齊白石繪畫精萃》第182圖，秦公、少楷主編，吉林美術出版社，1994年，長春。

197. 入室亦聞香

立軸
紙本水墨設色
94×45cm
1953年

款題：

入室亦聞香。九十三歲白石一揮。

印章：

白石(朱文)

著録：

《齊白石繪畫精萃》第181圖，秦公、少楷主編，吉林美術出版社，1994年，長春。

198. 蔬菜圖

立軸
紙本水墨設色
101.7×34.3cm
1953年

款題：

九十三歲白石老人。

印章：

齊白石（白文）
大匠之門(白文)
收藏印：東北美專珍藏(朱文)

收藏：

魯迅美術學院

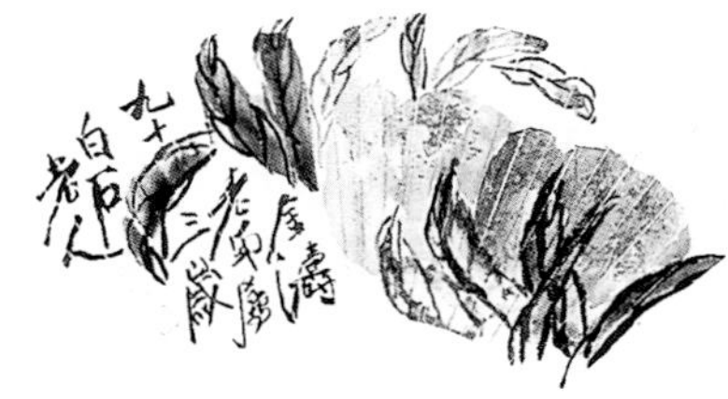

199. 雙桃

扇面
紙本水墨設色
19×50cm
1953年

款題：

金濤老弟屬。九十三歲白石老人。

印章：

齊大(白文)　木人(朱文)

收藏：

私人

200. 蚱蜢稻穗

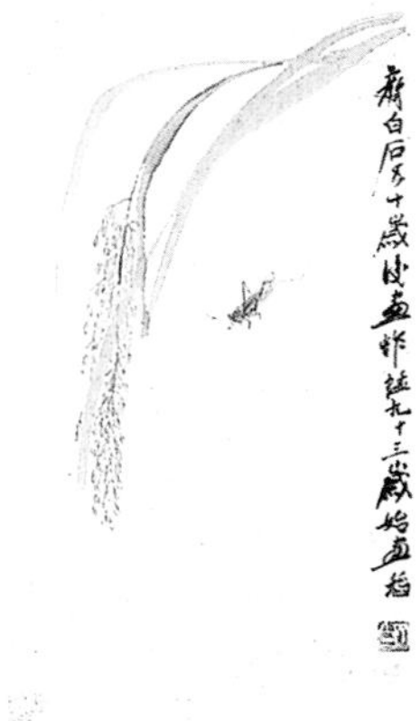

立軸
紙本水墨設色
68.3×33.4cm
約1920—1953年

款題：

齊白石五十歲後畫蚱蜢。九十三歲始畫稻。

印章：

齊白石(白文)
收藏印：東北美專珍藏(朱文)

收藏：

魯迅美術學院

201. 蟹

立軸
紙本水墨
104.2×34.5cm
1953年

款題：

夏衍老弟清屬。九十三歲白石。

印章：

齊白石（白文）
寄萍堂(白文)
收藏印：仁和沈氏曾藏(朱文)

收藏：

夏衍原藏，現藏浙江省博物館。

注釋：

夏衍（1900—1994年）原名沈端先，浙江杭州人，著名劇作家、電影理論家。作品有《賽金花》(1936)、《秋瑾傳》(1936)、《上海屋檐下》(1937)、《包身工》(1936)等。歷任文化部副部長、中國文聯副主席等職，喜書畫及書畫收藏。逝世後，全部藏品捐贈浙江省博物館。其中所藏齊白石作品有數十幅。

202. 墨蘭

立軸
紙本水墨
104×48cm
1953 年

款題：

紗窗玉案憶黄昏。燒燭為予印爪痕。隨意一揮空粉本。迴風亂拂没雲根。能看舞劍忙提筆。耻共簪花笑倚門。壓倒三千門下士。起予憐汝有私恩。九十三歲白石。

印章：

白石(朱文)　甑屋(朱文)

收藏：

中國展覽交流中心

著録：

《齊白石繪畫精萃》第 198 圖，秦公、少楷主編，吉林美術出版社，1994年，長春。

注釋：

陳紉蘭是白石在湘潭時的女弟子，善畫蘭草。日本須磨所藏齊白石畫中，有一幅《蘭石圖》(1924 年甲子作，立軸，見英文版須磨藏齊白石畫圖録，1960 年，東京)。説"余生平不畫蘭惠，因不如門人陳紉蘭女士也。"王方宇、許芥昱《看齊白石畫》第 94 頁，收入齊白石早期墨蘭圖（約 1910—1917 年)，圖上所題詩，與此圖的題詩大同小异，但最後兩句"羞殺時流偏得意，胭脂滿紙譽聲喧。"與此題的"壓倒三千門下士，起予憐汝有私恩"全然不同。此詩又見於《齊白石作品集・第三集・詩》，第 9 頁。

203. 紅梅花瓶

立軸
紙本水墨設色
100×33cm
1953 年

款題：

借山老人齊白石。
得家書已經月。猶有歡心。

印章：

齊大(朱文)
□

收藏：

青島崔子範美術館

204. 南瓜

立軸
紙本水墨設色
103×34cm
1953 年

款題：

借山老人齊白石畫瓜。
自謂不易畫藤。誰信。

印章：

白石翁(朱文)
故里山花此時開也(白文)

收藏：

青島崔子範美術館

205. 鷄冠花

立軸
紙本水墨設色
79.8×48.1cm
1953 年

款題：

九十三歲白石。

印章：

白石(朱文)

收藏：

魯迅美術學院圖書館

206. 祖國頌

立軸
紙本水墨設色
216×68cm
1954 年

款題：

祖國頌(篆)。
九十四歲白石。

印章：

齊白石(白文)
借山翁(朱文)
人長壽(朱文)

收藏：

私人

著録：

《齊白石繪畫精品集》第 131 頁，人民美術出版社，1991 年，北京。

207. 松鶴圖

立軸
紙本水墨設色
290.5×70cm
1954 年

款題：

毛主席萬歲。
九十四歲齊白石。

印章：

白石(朱文)
齊璜之印(白文)
人長壽(朱文)

收藏：

北京中南海

著録：

《中南海珍藏畫集》第一卷第 21 頁，西苑出版社，1993 年，北京。

208. 海棠

立軸
紙本水墨設色
103.5×34.5cm
1954 年

款題：

九十四歲白石老人。

印章：

齊大(白文)
大匠之門(白文)

收藏：

中國展覽交流中心

著録：

《齊白石繪畫精萃》第 176 圖，秦公、少楷主編，吉林美術出版社，1994 年，長春。

209. 荷花水鴨

立軸
紙本水墨設色
106.5×52cm
1954 年

款題：

九十四歲白石。

印章：

齊白石（白文）

收藏：

私人

著録：

《齊白石繪畫精萃》第 171 圖，秦公、少楷主編，吉林美術出版社，1994 年，長春。

210. 鴉歸殘照晚

册頁
紙本水墨設色
24×34.5cm
1954 年

款題：

白石老人。

鴉歸殘照晚。落落大江寒。

茅屋出高士。板橋生遠山。槖也之屬。九十四歲白石。

印章：

木人（朱文）
借山翁（朱文）

收藏：

私人

著録：

《齊白石繪畫精品集》第 129 頁，人民美術出版社，1991 年，北京。

211. 青蛙

立軸
紙本水墨
66×32cm

1954 年

款題：

九十四歲白石。

印章：

齊白石（白文）
收藏印：西安美術學院藏（朱文）

收藏：

西安美術學院

212. 烟波

立軸
紙本水墨
102×34cm
1954 年

款題：

東北博物館遣胡生阿龍來京求畫。作此答之。九十四歲白石老人。時居京華。

印章：

借山翁（朱文）

收藏：

遼寧省博物館

著録：

《齊白石畫集》第 69 圖，遼寧省博物館編，遼寧美術出版社，1961 年，瀋陽。

注釋：

白石題跋中所説"東北博物館"即今之遼寧省博物館。"胡生阿龍"則指該館胡龍龔，名文效，湘潭人，其祖父即齊白石的恩師胡沁園。胡龍龔著有《齊白石傳略》（人民美術出版社，1959 年，北京），他對遼寧省博物館收藏白石老人作品，有重要貢獻。

213. 荷塘雙鴨圖

立軸
紙本水墨設色
100.8×33cm
1954 年

款題：

九十四歲白石。

印章：

白石（朱文）
寄萍堂（白文）

收藏：

魯迅美術學院

214. 多壽

立軸
紙本水墨設色
104×34cm
1954 年

款題：

多壽（篆）。九十四歲白石。

印章：

白石（朱文）
人長壽（朱文）
收藏印：宗傑欣賞（朱文）

收藏：

私人

著録：

《齊白石畫海外藏珍》第 136 圖，王大山主編，榮寶齋（香港）有限公司，1994 年，香港。

215. 菊花雙鴿

立軸
紙本水墨設色
92×28cm
1954 年

款題：

九十四歲白石老人。

印章：

白石（朱文）
人長壽（朱文）

收藏：

私人

著録：

《齊白石畫集》，文物出版社，1992 年，北京。

216. 菊蟹

立軸
紙本水墨設色
136.5×34cm
1954 年

款題：

九十四歲白石老人。

印章：

借山翁（朱文）
麓山紅葉相思（白文）

收藏：

私人

217. 梅鵲圖

立軸
紙本水墨設色
102.5×33.5cm

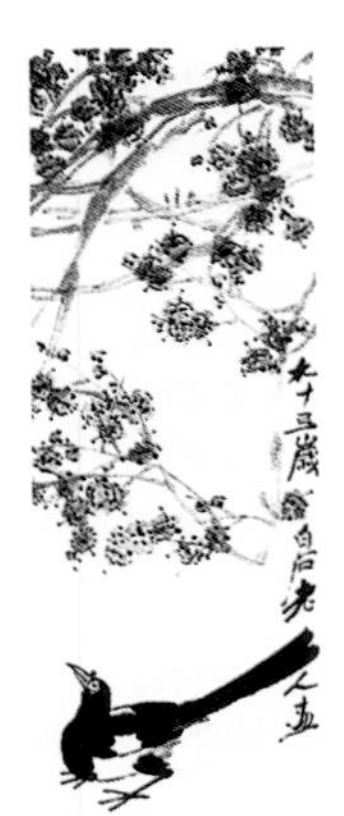

1954 年

款題：

九十四歲白石老人畫。

印章：

借山翁(朱文)

收藏：

北京市文物公司

著録：

《齊白石畫集》第139圖，原題《梅》，嚴欣强、金岩編，外文出版社，1991年，北京。

《齊白石繪畫精萃》第170圖，原題《紅梅・喜鵲》，秦公、少楷主編，吉林美術出版社，1994年，長春。

218. 鷄冠花・蜜蜂

册頁
紙本水墨設色
33.2×33.9cm
1954 年

款題：

九十四歲白石。

印章：

木人(朱文)

收藏：

魯迅美術學院

219. 葡萄

册頁
紙本水墨設色
33×33cm
1954 年

款題：

此十一月已過。予行年九十四矣。

印章：

齊白石(白文)

收藏：

遼寧省博物館

著録：

《齊白石畫集》第57圖，遼寧省博物館編，遼寧美術出版社，1961年，瀋陽。

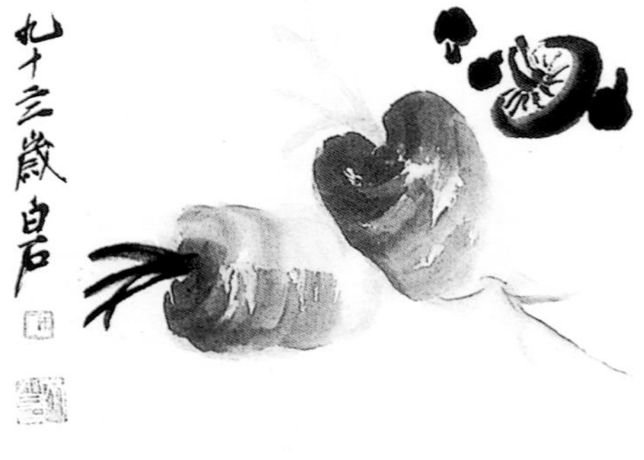

220. 蘿蔔松菌(草蟲雜畫册之一)

册頁
紙本水墨設色
32×33cm
1954 年

款題：

九十四歲白石。

印章：

木人(朱文)　齊白石(白文)

收藏：

遼寧省博物館

著録：

《齊白石畫集》第64圖，遼寧省博物館編，遼寧美術出版社，1961年，瀋陽。

221. 蝴蝶鷄冠花(草蟲雜畫册之二)

册頁
紙本水墨設色
32×33cm
1954 年

款題：

白石老人

印章：

白石(朱文)　子如畫蟲(朱文)

收藏：

遼寧省博物館

著録：

《齊白石畫集》第62圖，遼寧省博物館編，遼寧美術出版社，1961年，瀋陽。

222. 荷花蜻蜓(草蟲雜畫册之三)

册頁
紙本水墨設色
32×33cm
1954 年

款題：

九十四歲白石。

印章：

齊白石(白文)　子如畫蟲(朱文)

收藏：

遼寧省博物館

著録：

《齊白石畫集》第67圖，遼寧省博物館編，遼寧美術出版社，1961年，瀋陽。

223. 蓼花(草蟲雜畫册之四)

册頁
紙本水墨設色
32×33cm
1954 年

款題：

白石

印章：

齊白石(白文)　子如畫蟲(朱文)

收藏:

遼寧省博物館

著録:

《齊白石畫集》第 68 圖, 遼寧省博物館編, 遼寧美術出版社, 1961 年, 瀋陽。

224. 花蝶蝴蝶蘭(草蟲雜畫册之五)

册頁

紙本水墨設色

32×33cm

1954 年

款題:

白石老人

印章:

齊大(白文)

收藏:

遼寧省博物館

著録:

《齊白石畫集》第 63 圖, 遼寧省博物館編, 遼寧美術出版社, 1961 年, 瀋陽。

225. 燈蛾(草蟲雜畫册之六)

册頁

紙本水墨設色

32×33cm

1954 年

款題:

剔開紅焰救飛蛾。白石老人作。

印章:

木人(朱文)　子如畫蟲(朱文)

收藏:

遼寧省博物館

著録:

《齊白石畫集》第 66 圖, 遼寧省博物館編, 遼寧美術出版社, 1961 年, 瀋陽。

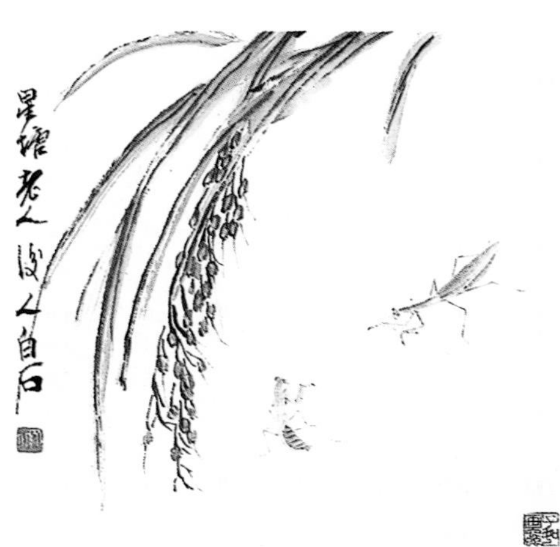

226. 稻穗螳螂(草蟲雜畫册之七)

册頁

紙本水墨設色

32×33cm

1954 年

款題:

星塘老人後人白石。

印章:

齊大(白文)　子如畫蟲(朱文)

收藏:

遼寧省博物館

著録:

《齊白石畫集》第 61 圖, 遼寧省博物館編, 遼寧美術出版社, 1961 年, 瀋陽。

注釋:

齊白石晚年有時與他的第三個兒子齊子如(良琨)合作, 由他畫寫意花草蔬果, 齊子如畫工筆草蟲。大凡這樣的作品, 都鈐有"子如畫蟲"印。本册中便有 5 幅是子如畫蟲之作。

227. 楓葉蟬(草蟲雜畫册之八)

册頁

紙本水墨設色

32×33cm

1954 年

款題:

白石老人

印章:

齊白石(白文)

收藏:

遼寧省博物館

著録:

《齊白石畫集》第 69 圖, 遼寧省博物館編, 遼寧美術出版社, 1961 年, 瀋陽。

228. 蘭花蚱蜢(草蟲雜畫册之九)

册頁

紙本水墨設色

32×33cm

1954 年

款題:

白石

印章:

白石(朱文)

收藏:

遼寧省博物館

著録:

《齊白石畫集》第 65 圖, 遼寧省博物館編, 遼寧美術出版社, 1961 年, 瀋陽。

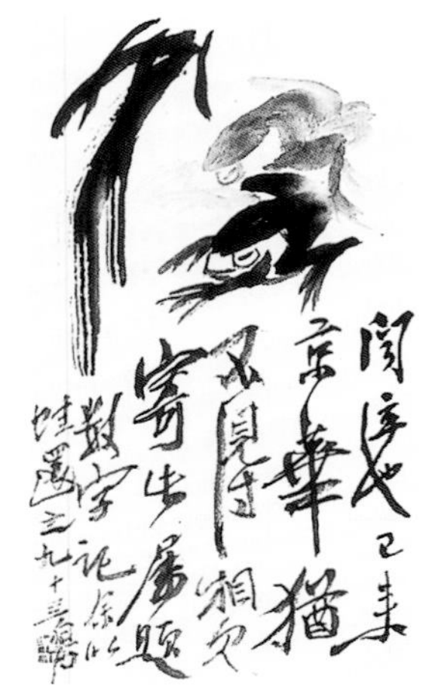

229. 蛙

册頁

紙本水墨

42×24cm

1954 年

款題：

閏立也已來京華。猶不得相見。寄此屬題數字記余以蛙還之。九十四歲白石。

印章：

白石老人(白文)

收藏：

李立

230. 折枝花卉卷

長卷

紙本水墨設色

46×396cm

1954 年

款題：

東北博物館將舉辦白石畫展。余以衰老畏遠行。不能躬與其盛。為作此長卷寄之。有解人當知此乃余生平破例也。九十四歲白石。

印章：

齊白石(白文)　借山翁(朱文)

人長壽(朱文)

收藏：

遼寧省博物館

著録：

《齊白石畫集》第 72 圖，遼寧省博物館編，遼寧美術出版社，1961 年，瀋陽。

231. 松帆圖

立軸

紙本水墨設色

97×50cm

約 50 年代中期

款題：

有色青松無恙風。自羅山水在胸中。鬼神所使非工力。他日何人識此翁。白石山翁畫我家畫并題。恩來同志論定。

印章：

木居士(白文)　白石翁(白文)

收藏：

北京中南海

著録：

《中南海珍藏畫集》第一卷第 24 頁，西苑出版社，1993 年，北京。

232. 蝦

册頁

紙本水墨

38×24cm

1954 年

款題：

立也清屬。

九十四歲白石老人。畫此如夢。

印章：

白石(朱文)

收藏：

李立

233. 牡丹蜜蜂

立軸

紙本水墨設色

109.3×47.4cm

1954 年

款題：

九十四歲白石老人畫。

印章：

齊白石(白文)

借山翁(朱文)

收藏：

私人

234. 紫藤蜜蜂

立軸

紙本水墨設色

73×25cm

1954 年

款題：

九十四歲白石。

印章：

木人(朱文)

著録：

《齊白石畫集》第 138 圖，嚴欣强、金岩編，外文出版社，1991 年，北京。

235. 棕櫚八哥

立軸

紙本水墨設色

137×34cm

1954 年

款題：

東北博物館寶藏。杏子塢老民白石。

印章：

甑屋(朱文)

大匠之門(白文)

收藏：

遼寧省博物館

著録：

《齊白石畫集》第 70 圖，遼寧省博物館編，遼寧美術出版社，1961 年，瀋陽。

236. 牽牛花

立軸

紙本水墨設色

120.5×30cm

1954 年

款題：

九十四歲白石老人。

印章：

齊大(白文)　大匠之門(白文)

著録：

《齊白石繪畫精品選》第 117 頁，董玉龍主編，人民美術出版社，1991 年，北京。

237. 荷花（花果册之一）

册頁

紙本水墨設色

27×34cm

1955 年

款題：

白石

印章：

甑屋（朱文）

收藏：

北京榮寶齋

238. 荔枝（花果册之二）

册頁

紙本水墨設色

27×34cm

1955 年

款題：

九五老人白石。

印章：

木人（朱文）

收藏：

北京榮寶齋

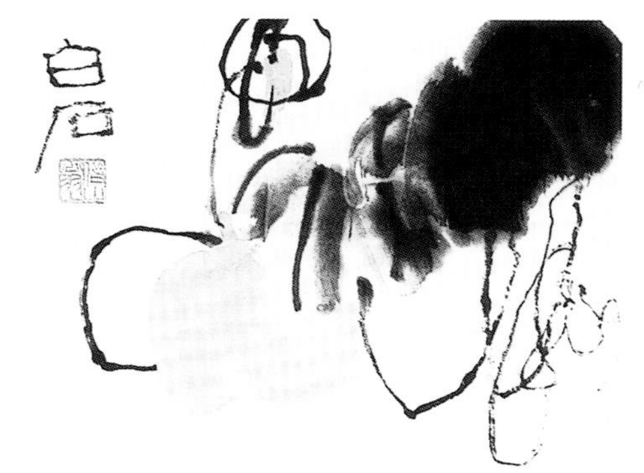

239. 葫蘆（花果册之三）

册頁

紙本水墨設色

27×34cm

1955 年

款題：

白石

印章：

借山翁（朱文）

收藏：

北京榮寶齋

240. 牽牛花（花果册之四）

册頁

紙本水墨設色

27×34cm

1955 年

款題：

白石

印章：

木人（朱文）

收藏：

北京榮寶齋

241. 蘭花（花果册之五）

册頁

紙本水墨

27×34cm

1955 年

款題：

白石

印章：

甑屋（朱文）

收藏：

北京榮寶齋

242. 紅梅（花果册之六）

册頁

紙本水墨設色

27×34cm

1955 年

款題：

白石

印章：

齊大（白文）

收藏：

北京榮寶齋

243. 牽牛花

册頁

紙本水墨設色

31×45cm

1955 年

款題：

弟子橐也。九十五歲白石。

印章：

借山翁（朱文）

收藏：

私人

著録：

《齊白石畫集》第 140 圖，嚴欣强、

金岩編，外文出版社，1991 年，北京。

《齊白石繪畫精品集》第 132 頁，人民美術出版社，1991 年，北京。

244. 萬年青

冊頁
紙本水墨設色
31×45cm
1955 年

款題：
弟子槖也屬。九十五歲白石。

印章：
借山翁（朱文）

收藏：
私人

著録：
《齊白石繪畫精品集》第 133 頁，人民美術出版社，1991 年，北京。

245. 游鴨圖

立軸
紙本水墨設色
136×34.5cm
1955 年

款題：
九十五歲白石老人。

印章：
借山翁（朱文）

收藏：
北京榮寶齋

246. 葡萄

冊頁
紙本水墨設色
28×28cm
1955 年

款題：
九十五歲白石老人。

印章：
齊白石（白文）

收藏：
私人

著録：
《齊白石繪畫精品選》第 183 頁，董玉龍主編，人民美術出版社，1991 年，北京。

247. 荷花鴛鴦

立軸
紙本水墨設色
137.7×67.8cm
1955 年

款題：
建勳親家愛蓮夫人同慶 楊虎與陶聖安同賀 九十五歲齊璜。

印章：
白石（朱文） 人長壽（朱文）

收藏：
中國美術館

248. 老少年

立軸
紙本水墨設色
103×34cm
1955 年

款題：
九十五歲白石老人。

印章：
白石（朱文）
寄萍堂（白文）

收藏：
北京榮寶齋

著録：
《齊白石畫集》第 142 圖，嚴欣强、金岩編，外文出版社，1991 年，北京。

249. 老來紅

立軸
紙本水墨設色
72.5×40cm
1955 年

款題：

九十五歲白石。

印章：
白石（朱文）

著録：
《齊白石繪畫精品選》第 119 頁，董玉龍主編，人民美術出版社，1991 年，北京。

250. 牽牛花

立軸
紙本水墨設色
97×34cm
1955 年

款題：
九十五歲白石老人。

印章：
白石（朱文）
大匠之門（白文）

收藏：
上海美術家協會

251. 牽牛花

立軸
紙本水墨設色
68×34cm
1955 年

款題：
九十五歲白石。

印章：
齊大（白文）

著録：
《齊白石畫海外藏珍》第 137 圖，王大山主編，榮寶齋（香港）有限公司，1994 年，香港。

252. 葡萄

立軸
紙本水墨設色
104×34.8cm

1955年

款題：

九十五歲白石。

印章：

借山翁（朱文）

大匠之門(白文)

收藏：

中國美術館

著録：

《齊白石作品集·第一集·繪畫》，第193圖，人民美術出版社，1963年，北京。

《齊白石作品集》第121圖，董玉龍主編，天津人民美術出版社，1990年，天津。

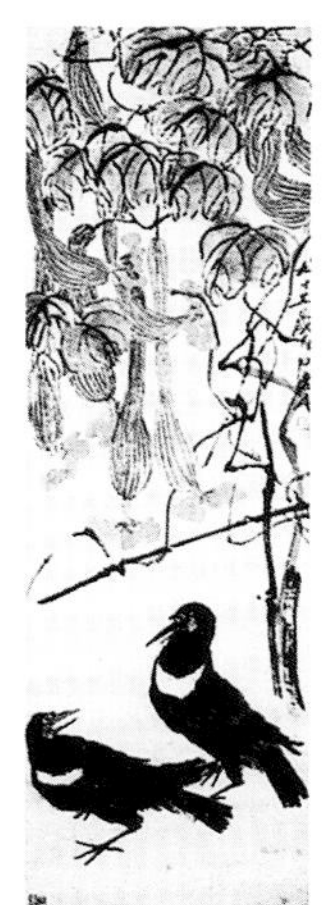

253. 絲瓜雙鴉

立軸

紙本水墨設色

169×53cm

1955年

款題：

九十五歲白石老人。

印章：

白石(朱文)

齊璜之印(白文)

收藏：

遼寧省博物館

著録：

《齊白石畫集》第74圖，遼寧省博物館編，遼寧美術出版社，1961年，瀋陽。

254. 八哥老松

立軸

紙本水墨設色

102×34cm

1955年

款題：

九十五歲白石老人。

印章：

借山翁(朱文)

收藏：

私人

著録：

《齊白石畫海外藏珍》第285圖，王大山主編，榮寶齋(香港)有限公司，1994年，香港。

255. 喜見慈祥

立軸

紙本水墨設色

133.2×66.9cm

1955年

款題：

喜見慈祥（篆）。為華僑報刊慶祝一九五五年元旦特刊作。九十五歲白石老人。

印章：

借山翁(朱文)　白石(朱文)

收藏：

霍宗傑

著録：

《齊白石畫海外藏珍》第139圖，王大山主編，榮寶齋(香港)有限公司，1994年，香港。

256. 蘆蟹圖

立軸

紙本水墨

64.5×35cm

1955年

款題：

九十五歲白石老人。

印章：

白石(朱文)

收藏：

北京市文物公司

著録：

《齊白石繪畫精萃》第121圖，秦公、少楷主編，吉林美術出版社，1994年，長春。

257. 雙魚圖

立軸

紙本水墨

78×44.5cm

1955年

款題：

雙魚(篆)。

九十五歲白石。

印章：

白石(朱文)

收藏：

廣州市美術館

258. 枯樹歸鴉

立軸

紙本水墨設色

102×27.5cm

約50年代中期

款題：

省却人間煩事業。斜陽枯樹看雅（鴉）歸。白石。

印章：

木人(朱文)

收藏：

北京市文物公司

著録：

《齊白石繪畫精萃》第174圖，秦公、少楷主編，吉林美術出版社，1994年，長春。

259. 菊花

立軸

紙本水墨設色

136×34cm

1955年

款題：

白石老人九十五歲。

印章：

白石(朱文)
寄萍堂(白文)

收藏:
遼寧省博物館

260. 祖國萬歲
立軸
紙本水墨設色
63×30cm
1955 年
款題:
祖國萬歲(篆)。九十五歲白石。
印章:
借山翁(朱文)
著録:
《齊白石作品集・第一集・繪畫》第 196 圖,人民美術出版社,1963 年,北京。
《齊白石畫集》第 141 圖,嚴欣强、金岩編,外文出版社,1991 年,北京。

261. 萬年青
立軸
紙本水墨設色
66×28cm
1955 年
款題:
九十六歲白石老人。
印章:
白石(朱文)
寄萍堂(白文)
收藏:
私人
著録:
《齊白石繪畫精萃》第 208 圖,秦公、少楷主編,吉林美術出版社,1994 年,長春。

262. 芙蓉游鴨
立軸
紙本水墨設色
135.2×34.4cm
1956 年

款題:
九十六矣。白石。
印章:
白石(朱文)
收藏:
中國美術館
著録:
《齊白石作品集》第 122 圖,董玉龍主編,天津人民美術出版社,1990 年,天津。

263. 荷
立軸
紙本水墨設色
70×32.5cm
1956 年
款題:
九十六歲白石。
印章:
白石(朱文)
收藏:
中央美術學院附屬中學

264. 絲瓜
立軸
紙本水墨設色
126×41.5cm
1956 年
款題:
九十六歲白石。
印章:
白石(朱文)
寄萍堂(白文)
著録:
《齊白石畫集》第 144 圖,嚴欣强、金岩編,外文出版社,1991 年,北京。

265. 葫蘆
立軸
紙本水墨設色
68×33.5cm
1956 年
款題:
九十六歲白石。
印章:
白石(朱文)
著録:

《齊白石畫集》第 147 圖,嚴欣强、金岩編,外文出版社,1991 年,北京。

266. 紫藤
立軸
紙本水墨設色
108×34cm
1956 年
款題:
九十六歲白石。
印章:
白石(朱文)
收藏:
私人
著録:
《齊白石繪畫精品集》第 140 頁,人民美術出版社,1991 年,北京。

267. 櫻桃
立軸
紙本水墨設色
100×34cm
1956 年
款題:
九十六歲白石。
印章:
白石(朱文)
寄萍堂(白文)
收藏:
北京畫院

268. 茶花
立軸
紙本水墨設色
100.6×33.4cm
1956 年
款題:
九十六歲白石老人。
印章:
白石(朱文)
寄萍堂(白文)
收藏印:黄胄珍藏(朱文)
收藏:
中國美術館
著録:
《齊白石畫集》第 146 圖,嚴欣强、金岩編,外文出版社,1991 年,北京。

269. 紅梅
立軸

紙本水墨設色
101×47cm
1956年
款題:
九十六歲白石。
印章:
白石(朱文)
收藏印:湖南省博物館藏品章(朱文)
收藏:
湖南省博物館

270. 梅
立軸
紙本水墨設色
105×35cm
1956年
款題:
九十六歲白石。
印章:
齊白石(白文)
收藏:
遼寧省博物館
著録:
《齊白石畫集》第75圖,遼寧省博物館編,遼寧美術出版社,1961年,瀋陽。

271. 紅梅
立軸
紙本水墨設色
100.6×33.4cm
1956年
款題:
九十六歲白石。
印章:
白石(朱文)
寄萍堂(白文)
收藏:
中國美術館

272. 魚
册頁
紙本水墨
60×40cm
1956年
款題:
九十六歲白石老人一揮。
印章:
白石(朱文)　寄萍堂(白文)
收藏:
私人

273. 雙蟹
册頁
紙本水墨
40×42cm
1956年
款題:
九十六歲白石。
印章:
白石(朱文)
收藏:
私人
著録:
《齊白石繪畫精品集》第139頁,人民美術出版社,1991年,北京。

274. 牡丹
立軸
紙本水墨設色
34.5×38cm
1956年
款題:
九十六歲白石。
印章:
白石(朱文)
收藏:
北京榮寶齋
著録:
《齊白石畫集》第148圖,嚴欣强、金岩編,外文出版社,1991年,北京。

275. 牡丹
立軸
紙本水墨設色
45.5×33cm
1956年
款題:
九十六歲白石。
印章:
白石(朱文)　寄萍堂(白文)
著録:
《齊白石繪畫精品選》第122圖,董玉龍主編,人民美術出版社,1991年,北京。

276. 牡丹
立軸
紙本水墨設色
45.5×33cm
1956年
款題:
九十六歲白石。
印章:
白石(朱文)　寄萍堂(白文)

收藏：

北京榮寶齋

277. 魚

立軸

紙本水墨

80×34cm

1957 年

款題：

九十七歲白石老人。

印章：

白石（朱文）

木居士記（朱文）

收藏：

北京市文物公司

著録：

《齊白石繪畫精萃》第 120 圖，秦公、少楷主編，吉林美術出版社，1994年，長春。

278. 牽牛花

立軸

紙本水墨設色

72×34cm

1957 年

款題：

九十七歲白石。

印章：

白石（朱文）

收藏：

私人

著録：

《齊白石繪畫精品集》第 141 頁，人民美術出版社，1991 年，北京。

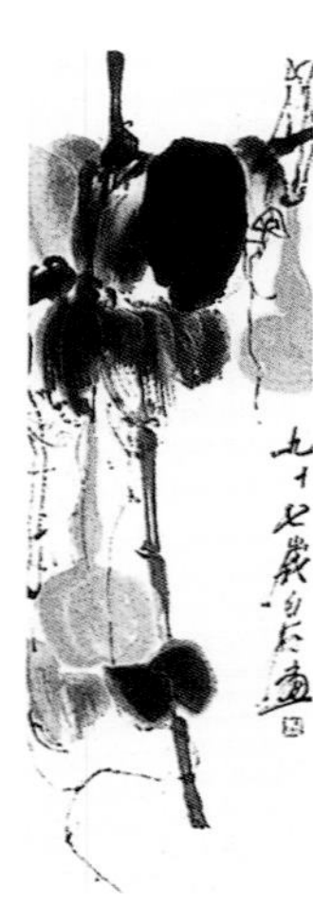

279. 葫蘆

立軸

紙本水墨設色

106×35cm

1957 年

款題：

九十七歲白石畫。

印章：

白石（朱文）

收藏：

天津藝術博物館

280. 胡蘿蔔豆莢

立軸

紙本水墨設色

64.8×33.3cm

1957 年

款題：

九十七歲白石。

印章：

白石（朱文） 借山翁（朱文）

收藏：

中國美術館

著録：

《齊白石作品集》第 124 圖，董玉龍主编，天津美術出版社，1990 年，天津。

《齊白石畫集》第 149 圖，嚴欣强、金岩编，外文出版社，1991 年，北京。

281. 鷄冠花

立軸

紙本水墨設色

68.5×33cm

約 1957 年

款題：

白石

印章：

借山翁（朱文）

收藏：

北京榮寶齋

282. 牡丹

立軸

紙本水墨設色

103×33.3cm

1957 年

款題：

齊白石老人。

印章：

白石（朱文）

收藏：

天津人民美術出版社

283. 牡丹

立軸

紙本水墨設色

82.2×33.2cm

1957 年

款題：

九十七歲畫（于北）于北京。白石。

印章：

借山翁（朱文）

收藏：

天津人民美術出版社

284. 牡丹

册頁

紙本水墨設色

34×33.5cm

約 1957 年

款題：

百歲老人（白）白石。

印章：

白石（朱文）

收藏：

私人

285. 牡丹

立軸

紙本水墨設色

65×35cm

1957 年

款題：

九十八歲白石老人。

印章：

齊白石(白文)　甑屋(朱文)

收藏：

私人

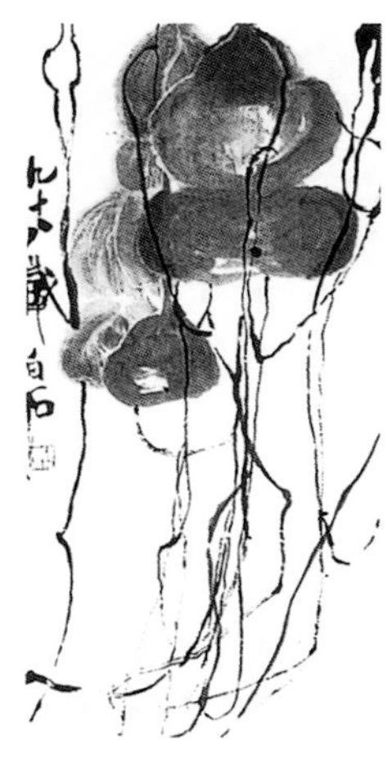

286. 葫蘆

立軸

紙本水墨設色

60.5×28.5cm

1957年

款題：

九十八歲白石。

印章：

白石(朱文)

收藏：

張仃

287. 牡丹

立軸

紙本水墨設色

68×33.8cm

1957年

款題：

九十七歲白石。

印章：

木人(朱文)

收藏：

中國美術館

著録：

《齊白石作品集》第123圖，董玉龍主編，天津人民美術出版社，1990年，天津。

288. 牡丹

立軸

紙本水墨設色

105×35cm

1957年

款題：

九十七歲白石。

印章：

甑屋(朱文)

收藏：

齊良已

著録：

《齊白石畫集》第150圖，嚴欣强、金岩編，外文出版社，1991年，北京。

《湘潭文史資料》第三輯，插圖，湘潭市政協文史資料研究委員會編（內部發行），1984年，湘潭。

注釋：

這是齊白石平生所作最後一件作品。齊良已《父親畫的最後一幅畫》(見《白石老人自述》附録，岳麓書社，1986年，長沙)記述説："1957年父親逝世這一年的春夏之際，他的精神有些不濟了，健康情況已大不如以前，還絲毫不服老，頑强地和衰老作鬥争，畫了一幅花中之王——牡丹，這是父親一生中畫的最後一幅畫。

"記得那天早晨，風和日暖，父親不用扶持竟自己從卧室走到畫室來。……父親和往常一樣，挽起袖子，不慌不忙，先看準備好了的筆、墨等用具，在筆筒裏仔細找出了他想用的那枝筆，又用手摸了摸紙，仔細辨認了紙的正反面（這些都是父親的老習慣），然後拿起筆，對着紙停視了許久，然後小心翼翼地蘸了洋紅。我一看用大筆蘸洋紅，就知道要畫牡丹了。"

本卷承蒙下列單位與個人的熱情支持與大力協助。特此致謝!

遼寧省博物館
中國美術館
北京榮寶齋
中央美術學院
北京市文物公司
魯迅美術學院
中國展覽交流中心
湖南省博物館
中國文學館
天津藝術博物館
陝西美術家協會
湘潭齊白石紀念館
青島崔子範美術館
廣西壯族自治區博物館
炎黃藝術館藝術中心
南京博物院
天津人民美術出版社
徐悲鴻紀念館
首都博物館
中國藝術研究院美術研究所
浙江省博物館
北京畫院
中央美術學院附中
西安美術學院
廣州美術館
四川省博物館
上海美術家協會
上海朵雲軒
西苑出版社
北京飯店
周碧初先生
張　仃先生
吴祖光先生
霍宗傑先生
李　立先生

(按所收作品數量順序排列)

總 策 劃： 郭天民　蕭沛蒼
總 編 輯： 郭天民
總 監 製： 蕭沛蒼

齊白石全集編輯委員會
主　　編： 郎紹君　郭天民
編　　委： 李松濤　王振德　羅隨祖　舒俊傑
郎紹君　郭天民　蕭沛蒼　李小山
徐　改　敖普安

本卷主編： 李松濤
責任編輯： 陳衛和
圖版攝影： 孫智和　黎　丹
著　　録： 徐　改　敖普安　李小山
黎　丹　章小林　姚陽光
注　　釋： 郎紹君　徐　改
英文翻譯： 張少雄
責任校對： 吴鳳媛
總體設計： 戈　巴

齊白石全集　第七卷

出版發行：湖南美術出版社
(長沙市人民中路103號)
經　　銷：全國各地新華書店
印　　製：深圳華新彩印製版有限公司
一九九六年十月第一版　第一次印刷

ISBN7—5356—0893—0/J·818